Blodau Gwyllt

Cymru ac Ynysoedd Prydain

John Akeroyd
Lluniau: Bob Gibbons

addasiad Cymraeg:
Bethan Wyn Jones

Cyhoeddwyd yn y Gymraeg yn 2006 gan Wasg Carreg Gwalch,
12 Iard yr Orsaf, Llanrwst, Conwy LL26 0EH.
Ffôn: 01492 642031; e-bost: llyfrau@carreg-gwalch.co.uk;
lle ar y we: www.carreg-gwalch.co.uk

Cyhoeddwyd yn wreiddiol yn Saesneg yn 1996 gan
HarperCollins*Publishers*

Teitl arall yn y gyfres:

Llyfr Adar Iolo Williams

Gwasg Carreg Gwalch; £9.99

Hawlfraint y lluniau yn eiddo i Bob Gibbons ar wahân i'r canlynol: Andrew Gagg: tt.23, 109, 170, 229; Nature Photographers: 19, 20, 66, 133, 167, 169, 204, 220, 222, 228, 246; Peter Wilson: 104, 134, 166, 180, 190. Cyflenwyd y lluniau gan Natural Image.

ISBN 1-84527-084-3

Golygwyd a chynlluniwyd gan D & N Publishing, Ramsbury, Wiltshire

Argraffwyd a rhwymwyd yn China.

CYFLWYNIAD

Mae'r llyfr hwn yn cyflwyno 240 o flodau gwyllt mwyaf cyffredin Cymru ac Ynysoedd Prydain. Planhigion gwyllt yw'r rhain, rhai yn gynhenid i'r gwledydd hyn ac eraill wedi eu cyflwyno yma. Dyma'r planhigion a welwn o'n cwmpas ac y down ar eu traws wrth fynd am dro yng nghefn gwlad, yn y maestrefi neu hyd yn oed yn y dref, gan amlaf fel chwyn. (Planhigion yw chwyn sy'n bachu ar y cyfle i gytrefu tir a newidiwyd gan weithgarwch dyn.)

Mae gan Gymru ac Ynysoedd Prydain dros 1,500 o flodau gwyllt (gan gynnwys gweiriau, hesg a brwyn). Cymharol fach yw'r nifer yma o'i gymharu â nifer y blodau gwyllt sydd yn y byd i gyd, ond mae eu hadnabod yn gryn dipyn o gamp i'r newyddian. Ceisiwyd cynnwys y blodau gwyllt hynny rydym yn debyg o ddod ar eu traws ar y tir isel. Mewn llyfr o'r math yma nid yw'n bosibl i ddisgrifio a darlunio pob un, er enghraifft, o'r sgorpionllys, rhwyddlwyn neu grafanc y frân ond bydd y llyfr hwn o leiaf yn eich gwneud yn ymwybodol eu bod yn bodoli fel grŵp. Mae unrhyw ragfarn ymddangosiadol tuag at dde Lloegr yn adlewyrchu'n gymaint â dim fod yno blanhigion y tir isel sy'n gyfoethocach oherwydd dylanwad nodweddion hanesyddol a hinsoddol cymhleth.

Mae adran arbennig i Iwerddon gan fod gormod o bobl yng ngwledydd Prydain, nid botanegwyr yn unig, sy'n anghofio ei bod yn ddarn o dir arwahan, gyda'i hinsawdd a'i phlanhigion ei hunan. Nid yw'r llyfr hwn yn sôn am flodau gwyllt ucheldir Cymru ac Ynysoedd Prydain, gan fod angen cyfrol eu hunain i rheini, na'r gweiriau, hesg a brwyn. Ni chynhwysir y rhedyn a'i chynghreiriaid oherwydd nad oes ganddynt flodau.

Mae planhigion yn newid yn gyson ac mae hyd yn oed fy oes i wedi gweld cryn dipyn o ddinistr, yn enwedig o'r caeau hynny oedd yn arfer cael eu trin yn draddodiadol ac a oedd un tro yn hardd gan flodau gwyllt. Mae'r planhigion hefyd yn cael eu newid, ac yn aml yn cael eu cyfoethogi, gan ddyfodiad planhigion newydd ac ymlediad planhigion mwy sefydledig. Dyna pam y cynhwyswyd rhai fel amrhydlwyd Canada a galinsoga ochr yn ochr â rhai sy'n fwy cyfarwydd ac annwyl gan bawb fel cennin Pedr, briallu a'r fioledau. Maent yn cynrychioli treftadaeth ac adnodd naturiol mwyaf bregus a gwerthfawr Cymru ac Ynysoedd Prydain.

SUT I DDEFNYDDIO'R LLYFR HWN

Mae'n disgrifio nodweddion allweddol ein blodau gwyllt mwyaf cyffredin a chynnig canllawiau sut i'w hadnabod. Neilltuir tudalen i bob planhigyn, a'i ddarlunio gyda **llun lliw** y gellir ei gymharu â'r planhigyn yn y maes. Gall y llun ddangos naill ai manylion y blodau neu'r ffrwythau, neu'r cynefin cyffredinol; gellir adnabod sawl blodyn gwyllt o bell oherwydd ei ymddangosiad trawiadol neu nodweddiadol. Mae **cysgodlun** ar ben y dudalen yn rhoi braslun cryno o siâp a lliw y blodyn neu'r clwstwr o flodau.

Mae'r planhigion wedi eu gosod yn ôl eu teulu, ond dylid cofio fod teuluoedd tebyg i deulu'r rhosyn neu'r mintys, yn dangos amrediad o strwythurau blodyn nes eu bod yn gallu twyllo hyd yn oed y botanegwr mwyaf profiadol! Mae **bar calendr** wedi ei dywyllu yn dangos y misoedd hynny y bydd pob rhywogaeth yn debyg o flodeuo. Mae rhai blodau gwyllt, fel y tegeirian, â chyfnod blodeuo byr, penodol. Mae eraill, fel y blodyn neidr, â thymor blodeuo pendant ac eto gallant fod yn blodeuo ar unrhyw adeg. Mae rhai chwyn unflwydd, tebyg i gwlydd y dom a'r creulys, yn blodeuo drwy'r flwyddyn ar wahân i gyfnodau o rew ac eira.

Mae'r **prif destun** yn disgrifio cynefin cyffredin pob planhigyn a rhai ffeithiau allweddol am ei ecoleg a'i ddosbarthiad. Dim ond pan na fo rhywogaeth i'w chanfod yn gyffredin drwy Gymru ac Ynysoedd Prydain y cyfeirir at ddosbarthiad arbennig. Ychwanegir nodiadau eraill ar bynciau tebyg i beillwyr ac ysglyfaethwyr, gwasgaru'r had, sut mae'r planhigion yn cael eu defnyddio gan bobl fel bwyd neu foddion, a rhoir ffeithiau diddorol neu gyfeiriadau at lên gwerin. Mae gan bob planhigyn ei stori.

Cynhwysir nodweddion allweddol i sicrhau adnabyddiaeth yn y **Ffeil Ffeithiau**. Mae'r adran hon yn cynnwys 'Planhigion Tebyg', sy'n cymharu planhigion tebyg ar dudalennau eraill neu'n disgrifio'n gryno blanhigion eraill, sy'n aml yn brinnach ond sydd heb gael lle na'u disgrifio'n llawn yn y testun. Gall rhai o'r rhain fod yn gyffredin mewn rhai ardaloedd lleol yn unig.

Mae **map** yn dangos dosbarthiad pob planhigyn yng ngorllewin Ewrop. Mae'n nodi ble yng Nghymru ac Ynysoedd Prydain mae'r planhigyn yn absennol ac yn aml yn dangos ble mae rhai planhigion yn cyrraedd ffin bellaf eu tyfiant. Mae dosbarthiad planhigion yn gyfareddol. Mae rhai planhigion wedi'u dosbarthu yng ngorllewin Ewrop, er enghraifft eithin, tra mae eraill yn fwy i'r de neu i'r gogledd.

CHWILIO AM FLODAU GWYLLT

Mae blodau gwyllt o'n cwmpas ym mhob man. Maent yn byw yn y tameidiau o gynefin naturiol sydd ar ôl, yn y caeau, ger ymyl y ffyrdd ac yn y gwrychoedd a grëwyd ac a luniwyd gan ganrifoedd o weithgarwch dyn. Maent hyd yn oed yn bresennol yn anialwch ymddangosiadol ein maestrefi a'n dinasoedd. Nid yw pob un ohonynt yn blanhigyn brodorol, oherwydd daeth llawer, hwyrach y mwyafrif, yma o dramor ond maent bellach mor adnabyddus â'r rhai cynhenid; yn y rhan fwyaf o achosion wnawn ni byth wybod eu gwir statws. Mae gan y rhan fwyaf hanes o gael eu defnyddio gan bobl fel bwyd, cyffuriau neu fel deunyddiau crefft ac adeiladu. Newydd gyrraedd mae rhai, ond maent yn ehangu'n ddigon hapus ar y tirwedd ôl-ffermio dwys ac ôl-ddiwydiannol.

Felly ble ydi'r lle gorau i edrych am flodau gwyllt? Yr ateb yw eu bod ym mhob man, ond weithiau bod angen chwilota amdanynt. Ambell dro bydd angen mynd ar wibdaith i leoedd arbennig, fel bryniau calchfaen gwyllt ardal y Burren yn Swydd Clare, neu rosydd arfordirol Cernyw neu diroedd comin tywodlyd Breckland, East Anglia. Mae ymweliad â glaswelltir calchog deheudir Lloegr a'r hen goetiroedd sydd wedi goroesi i weld peth o'r amrywiaeth gorau o fywyd planhigion gwyllt yn ddymunol. Roedd y diweddar Oleg Polunin, un o fotanegwyr maes gorau Ewrop, a welodd blanhigion dros y byd i gyd, yn cymeradwyo clogwyni arfordir a thwyni tywod gorllewin Prydain ac Iwerddon fel y lleoedd gorau i weld sioeau o flodau gwyllt lliwgar a diddorol.

Dyma ychydig o reolau sylfaenol i roi dewis da o rywogaethau i'r chwilotwr. Chwiliwch am afonydd, llynnoedd a mathau eraill o wlypdir; archwiliwch diroedd comin a rhosydd; edrychwch yn ofalus ar dir creigiog toredig, yn arbennig yn ymyl y môr – mae twyni tywod bob amser yn dda – ac felly ymlaen. Y cynefinoedd hyn yn aml yw'r tameidiau olaf o dirwedd cyfoethog, gweddillion cyfnod cyn defnydd dwys heddiw o'r tir. Fodd bynnag, bydd mynd am dro o gwmpas pentref neu dref, cael cipolwg ar le agored, coedlan neu lan afon yn swbwrbia, neu weld ychydig o wrychoedd a llwyni a thir âr yng nghefn gwlad, yn ddigon i roi i chi amrywiaeth cyfoethog o blanhigion. Mae blodau gwyllt yn rhan annatod o'r tirwedd, yn benthyg lliwiau, awyrgylch neu hyd yn oed yn ychwanegu amrywiaeth strwythurol, fel yn achos cribau'r pannwr tal a'r pannog felen, at yr olygfa a welir o lwybr y crwydryn, neu o'r car neu'r trên.

ADNABOD BLODAU GWYLLT

Mae llawer o bobl yn dewis anwybyddu planhigion a llysieueg oherwydd bod rhoi trefn ar y fath rychwant o ffurfiau a strwythurau sydd gan flodau mor ymddangosiadol anodd. Mae'r llyfr hwn yn osgoi defnyddio terminoleg arbenigol, sy'n aml yn ddim mwy na rwdl technegol, ond mae'n bwysig defnyddio rhai termau er mwyn eglurdeb. Gall rhai o'r termau hyn ymddangos yn anghyffredin, a hynny pe bai dim ond am y ffaith eu bod yn hanu o'r Lladin neu'r Groeg, a oedd am ganrifoedd yn ieithoedd Botaneg. Geiriau Lladin (ar y cyfan) yw'r enwau gwyddonol ar blanhigion a'u gwahanol rannau, ac y mae botanegwyr yn dal i gyflwyno rhywogaeth newydd drwy gyhoeddi disgrifiad Lladin ohoni - confensiwn rhyngwladol defnyddiol.

Mae planhigion yn amrywio yn hanes eu bywyd. Mae blodyn **unflwydd** yn tyfu, blodeuo, gosod hadau a marw oddi fewn i un tymor neu flwyddyn. Planhigion eraill sy'n byw'n hirach yw'r **eilflwydd**, sy'n ffurfio planhigyn a wnaiff oroesi'r gaeaf mewn un blwyddyn a blodeuo yn y nesaf, a'r **lluosflwydd** sy'n tyfu a blodeuo dros nifer o flynyddoedd. Mae gwreiddiau'r lluosflwydd yn aml yn addasu fel strwythurau storio i'w galluogi i oroesi'r gaeaf ac ychwanegu tyfiant newydd yn y gwanwyn. Mae rhai, gyda'u **bylbiau**, blagur noddlawn tanddaearol, yn marw yn ystod yr haf; maent felly'n osgoi cyfnodau sych neu gysgod haf y coed. Strwythur cyffredin arall yw'r gwreiddyn crwydrol, noddlawn, y **gwreiddgyff**. Nid yn unig mae hwn yn storio bwyd, ond mae hefyd yn atgenhedlu drwy lystyfiant heb fod angen hadau.

Mae nifer a threfniant gwahanol rannau ac organau blodau yn cynnig y nodweddion pwysicaf i ddosbarthu planhigion blodeuol. Dangosir strwythur y **blodyn** yn Ffigwr 1 a 2. Mae pob blodyn yn flaguryn arbennig, gyda sidelli olynol o rannau sy'n cynrychioli, mae'n debyg, dail wedi'u haddasu. Weithiau cysylltir neu amgylchynir y blodyn gan ddail arbennig, y **bractau**. Mae blodau llygad y dydd a dant y llew yn fach (blodigau) ac wedi ymgasglu yn bennau. Ffurfir sidell neu haenen fwyaf allanol y blodyn o'r **sepal** (yr enw cyfansawdd yw **calycs**) sy'n amgáu ac yn amddiffyn y blodyn tra mae'n blaguro. Gwyrdd neu liw wedi pylu yw lliw'r sepal gan amlaf. Y sidell nesaf yw'r petalau (yr enw cyfansawdd yw **corola**). Gan amlaf, ond nid bob tro o bell ffordd, maent yn llachar liwgar. Y petalau sy'n dal llygad y sylwedydd – a llygad y pryfetach crwydrol. Enw'r fan lle nad yw'r gwahaniaeth rhwng petalau a sepalau i'w weld yn glir yw'r **perianth**.

Oddi fewn i'r ddwy sidell hyn y mae'r rhannau cenhedlu, gwryw a benyw. **Brigerau** yw'r enw ar y rhannau gwrywaidd, strwythurau coesog sy'n cynnwys paill oddi fewn i antherau tebyg i god. Trosglwyddir y paill lliw, sydd fel llwch, gan amlaf naill ai gan bryfetach neu'r gwynt, a ffrwythloni'r **ofwlau** bychain bach (mae ŵy-gell oddi fewn i bob un) a gynhwysir oddi fewn i'r strwythur benywaidd neu'r **ofari**. Mae un **carpel** neu fwy oddi fewn i'r ofari, sy'n cynnwys ofwlau; mae gan pob carpel **stigma** pigfain, ceinciog neu bluog i rwydo'r paill. Mae'r stigma yn aml ar goesyn neu **golofnig**.

Wedi i'r carpel gael ei ffrwythloni, datblyga'n ffrwyth, gan gynnwys un i lawer o **hadau**. Mae pob un wedi ei bacio'n dwt mewn planhigyn embryonig, wedi ei ddiogelu gan got galed sy'n cynnwys cyflenwad o fwyd, startsh fel arfer, naill ai yn y dail-hadau eu hunain neu fel storfa ar wahân.

Dosberthir ffrwythau i nifer o gategorïau: un cyffredin yw **capsiwl,** ffrwyth sych sy'n hollti i ryddhau'r hadau. Mae **mwyaren** yn ffrwyth amlochrog, noddlawn; mae aeronen neu **drŵp fach** yn ffrwyth noddlawn un hedyn. Mae **cneuen** neu **gneuen fach** yn ffrwyth sych un hedyn.

Hanner blodau yn dangos y strwythur

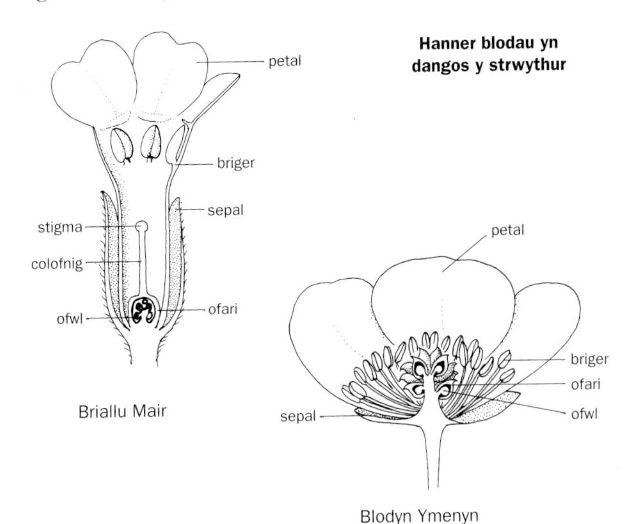

Briallu Mair

Blodyn Ymenyn

CYNEFINOEDD Y BLODAU GWYLLT

Mae llystyfiant, y cymunedau cymhleth ble mae planhigion yn tyfu mewn cysylltiad agos â'i gilydd, y tu hwnt i gwmpas y llyfr hwn. Fodd bynnag, mae angen cyflwyniad byr gan fod cynefinoedd penodol yn cael sylw yn y testun.

Wedi i'r rhewlifoedd adael Ynysoedd Prydain ar ddiwedd yr Oes Iâ olaf, rhyw 10,000 o flynyddoedd yn ôl, twndra agored oedd y tirwedd un heb fod yn annhebyg i'r hyn welir yn yr Arctig heddiw. Mae darnau wedi goroesi yn yr ucheldiroedd, yn arbennig yn yr Alban a rhai mannau yng Nghymru. Yn araf bach daeth planhigion eraill i ailwladychu'r gwastadeddau, yn arbennig y tiroedd hynny oedd yn digwydd bod yn agored ac yn wlyb. Ymhen amser, daeth coetir ac, yn yr ardaloedd gwlypach yn y gorllewin, mawnogydd i guddio'r tirwedd, gan gyfyngu planhigion y cynefinoedd agored at glogwyni, mynyddoedd, glannau'r afonydd, a thraethau o raean bras a thwyni tywod.

Wrth i weithgarwch dyn agor y tirwedd o ddyddiau olaf Oes y Cerrig, bachodd rhai planhigion, a adwaenir heddiw fel chwyn, ar eu cyfle a symud i gynefinoedd oedd newydd gael eu haflonyddu, yn arbennig y rhai hynny oedd wedi'u paratoi ar gyfer amaethu. Gwladychu glastiroedd a rhostir wedi'u hagor gan dorri, llosgi a phori'r stoc wnaeth planhigion eraill oedd wedi'u dadleoli gan goetir. Mewn rhai rhannau yng Nghymru, yr Alban, gogledd Lloegr ac Iwerddon, daeth mawn i'r mannau hynny ble roedd y ffermwyr cynnar wedi dadwreiddio'r coed. Dros yr ynysoedd i gyd, crebachodd y coetiroedd a heddiw cânt eu galw yn 'hen goedwigoedd' sydd wedi'u rheoli ers cyn yr Oesoedd Canol i gynhyrchu pren, llwyni prysgwydd, golosg ac adar ac anifeiliaid hela. Draeniwyd y gwlypdir, trowyd yr afonydd yn gamlesi, ac addaswyd ffurfiau'r twyni tywod a'r corsydd tywod ar gyfer amddiffyn y glannau. Yn y ganrif ddiwethaf a'r un bresennol mae coedwigaeth gyhoeddus a masnachol ac amaethu dwys wedi newid y tirwedd, y llystyfiant a'r fflora ymhellach. Yn ystod y blynyddoedd diwethaf bu tuedd i brysgwydd heidio i'r glaswelltir ac i'r prysgwydd ddatblygu'n goetiroedd.

Ar ddechrau'r unfed ganrif ar hugain, gwelir yma un o'r tirweddau sydd wedi'i haddasu fwyaf yn y byd, ond un sy'n rhyfeddol o gyfoethog ym mywyd ei phlanhigion. Mae ein mosaig o lystyfiant naturiol a hanner naturiol yn cynrychioli pob agwedd ar fywyd planhigion ac anifeiliaid a chymdeithas pobl ers diwedd Oes yr Iâ.

CADWRAETH

Mae ein hetifeddiaeth werthfawr o flodau gwyllt o dan fygythiad o bob ochr. Y brif broblem yw'r pwysau a roddir ar y defnydd o dir a dinistrio, diraddio, darnio ac ynysu'r cynefinoedd. Trodd amaethu dwys cyfoes dirwedd amrywiol yn baith enfawr ag un llystyfiant, yn aml heb wrychoedd na dim tir ymylol. Mae diwydiant a thai yn trachwantu am feddiannu lleiniau mawr o dir. Bydd ffyrdd newydd yn parhau i dorri drwy safleoedd sy'n gyfoethog o blanhigion ac anifeiliaid. Gall bygythiad hir dymor ddod drwy newid yn yr hinsawdd. Yn ystod y ganrif ddiwethaf collasom lawer o blanhigion o'r gwlypdiroedd yn ne Lloegr wrth i'r defnydd o ddŵr godi ac i sychder gynyddu.

Beiir unigolion yn aml hefyd, ac mae'n wir fod naturiaethwyr Oes Fictoria wedi mynd dros ben llestri yn eu brwdfrydedd i gasglu planhigion prin. Dinistr cynefinoedd, fodd bynnag, yw'r prif elyn. Yn groes i'r farn boblogaidd, fuodd hi erioed yn anghyfreithlon i gasglu'r rhan fwyaf o flodau gwylltion. Er hynny, mae'r hen wireb "gadewch y blodau gwylltion i eraill eu mwynhau" yn ganllaw defnyddiol iawn. Mae gan gefn gwlad heddiw gronfa lai o adnoddau i leddfu colled neu ddifodiant pellach. Beth sydd yn sicr yn wir yw ei fod, o dan dermau Deddf Bywyd Gwyllt a Chefn Gwlad 1981, *yn anghyfreithlon i godi planhigion heb ganiatâd perchennog y tir ble maent yn tyfu.* Mae'r Ddeddf hefyd yn gwarchod yn llawn rhag codi neu ddadwreiddio grŵp o blanhigion sydd mor brin a dan fygythiad nes y gallent ddiflannu os na chânt eu clustnodi. O'r rhywogaethau a gynhwysir yn y llyfr hwn, dim ond y fritheg sydd wedi ei gwarchod yn y ffordd yma yng ngwledydd Prydain.

Yng Ngweriniaeth Iwerddon, gwarchodir planhigion o dan Orchymyn Amddiffyn Flora (1987), sy'n gwarchod cynefinoedd 68 o rywogaethau sydd dan fygythiad. Yr unig rywogaeth a gynhwysir yn y llyfr hwn a nodir yn y Gorchymyn yw cribau San Ffraid, un o sawl planhigyn sy'n gyffredin ac eto sy'n rhyfeddol o brin neu'n gyfyngedig yn Iwerddon. Gwarchodir tegeirian y wenynen, cribau San Ffraid, briallu Mair a'r mwsglys yng Ngogledd Iwerddon o dan Orchymyn (GI) Bywyd Gwyllt (1985).

Gobaith diffuant llawer o fotanegwyr yw gweld y dydd pan welwn ni flodau'n dychwelyd yn ddigon niferus i gefn gwlad fel y gallwn eu pigo, yn ddarbodus ac yn synhwyrol, heb bryderu o gwbl am eu parhad.

BE NESA?

Efallai y byddai gan ddarllenwyr sy'n dymuno astudio mwy ar flodau gwyllt ac yn dymuno cyfarfod ag eraill *'o gyffelyb fryd'* ddiddordeb mewn gwybod am gymdeithasau a sefydliadau eraill sy'n ymdrin ag astudio a chadwraeth planhigion gwyllt. Mae'r sefydliadau hyn yn cyhoeddi cylchlythyrau neu gylchgronau gydag erthyglau am flodau gwyllt. Mae yna hefyd nifer o gymdeithasau lleol sy'n ymddiddori ym mhob agwedd o gadwraeth natur.

Cymdeithas Edward Llwyd, d/o Gruff Roberts, Drws-y-coed, 119 Ffordd y Cwm, Diserth, Sir Ddinbych, LL18 6HR. Prif weithgaredd y gymdeithas yw'r rhaglen gynhwysfawr o deithiau cerdded a gynhelir ledled Cymru ar bron bob dydd Sadwrn o'r flwyddyn.

The Botanical Society of the British Isles, d/o Natural History Museum, Cromwell Road, London SW7 5BD, ar gyfer y botanegwr amatur a phroffesiynol; mae aelodau'n cofnodi ac astudio blodau gwyllt a rhedyn Prydain ac Iwerddon.

Plantlife, 14, Rollerstone Street, Salisbury SP1 1DX, yn hybu diddordeb y cyhoedd mewn planhigion gwyllt ac yn ymgyrchu i ddiogelu'r planhigion a'u cynefinoedd.

The Wild Flower Society, 68 Outwoods Road, Loughborough, Leicestershire LE11 3LY, yn hybu diddordeb mewn blodau gwyllt, yn arbennig ymysg pobl ifanc drwy chwilio a recordio.

Ymddiriedolaeth Bywyd Gwyllt – mae sawl cangen yng Nghymru.

The Irish Biogeographical Society, d/o Natural History Museum, Kildare Street, Dublin 2, yn astudio dosbarthiad planhigion ac anifeiliaid yn Iwerddon.

I	Ch	M	E	M	M
G	A	M	H	T	Rh

Hopys

Humulus lupulus Hop

Planhigyn lluosflwydd, gyda blew garw, yn troelli ac ymlusgo ar wrychoedd, llwyni, coed neu ffensys weiar-netin; tyfir fel cnwd yn ne-ddwyrain Lloegr a Dyffryn Evesham, ond mae'n aml yn dianc i'r gwyllt ac yn cartrefu yno, ac weithiau'n tyfu'n wirioneddol wyllt mewn coedydd llaith. Mae'r pennau wedi iddynt fynd i had a'u sychu wedi cael eu defnyddio ym Mhrydain ers diwedd yr Oesoedd Canol i roi blas ar gwrw ac i'w gadw; hefyd, mewn gobenyddion, i helpu rhywun i gysgu. Gellir coginio'r blagur ifanc fel llysiau gwyrdd.

FFEIL FFEITHIAU

Taldra: 3-6m.

Blodau: Yn hongian mewn clystyrau gwyrdd, y rhai gwrywaidd yn ganghennog, y rhai benywaidd yn debyg i foch coed gyda bractau gwyrdd golau, yn tyfu ar blanhigion gwahanol.

Dail: Mewn parau gyferbyn â'i gilydd, hyd at 10cm o hyd, siâp calon, 3 i 5 llabed, yn fras ddanheddog.

Ffrwythau: Tebyg i foch coed, pennau'n crymu, tua 3cm o hyd.

Planhigion Tebyg: Cywarch *(Cannabis sativa, 'hemp')*: planhigyn unflwydd, unionsyth, yn aml yn ganghennog; 1-3m; dail cyfansawdd, gyda 6 i 9 segment; tyf ar dir anial a thomenni, yn cael ei dyfu'n gynyddol fel cnwd ar gyfer ffibr.

I	Ch	M	E	M	M
G	A	M	H	T	Rh

Danadl poethion

Urtica dioica Stinging nettle

FFEIL FFEITHIAU

Taldra: 50-150cm, weithiau hyd at 250cm.

Blodau: Pitw, mewn clystyrau sy'n hongian fel clymau bychain, y blodau benywaidd a gwrywaidd ar blanhigion gwahanol.

Dail: Mewn parau gyferbyn â'i gilydd, hyd at 10cm o hyd, siâp calon neu waywffon, pigfain, yn rheolaidd ddanheddog.

Ffrwythau: 1 i 1.5mm ar draws, pob un ag un hedyn.

Planhigion Tebyg: Danhadlen fach *(Utrica urens)* yn aml yn blanhigyn unflwydd llai, yn aml yn ganghennog, hyd at 60cm o daldra, ar dir wedi ei drin neu bridd ysgafn.

Planhigyn lluosflwydd, unionsyth, heb fod yn ganghennog, fel rheol wedi'i orchuddio gyda blew hir sy'n llosgi'r croen; coesyn sgwâr, gwreiddiau melyn, gwydn a chyff sy'n gweu'n glystyrau mawr dan y ddaear. Mae'r planhigyn i'w weld ar ochrau'r ffyrdd ac ar dir anial, o gwmpas adeiladau, mewn gerddi, ffosydd, corsydd a choedydd llaith, yn arbennig mewn lleoedd ble mae'r tir wedi ei gyfoethogi gan wastraff anifeiliaid neu wrtaith. Mae'r coesyn yn ffynhonnell hynafol o ffibr ac mae'r blagur yn llysieuyn gwyrdd. Mae lindys sawl rhywogaeth o löynnod byw yn bwydo ar y dail.

I	Ch	M	E	M	M
G	A	M	H	T	Rh

Y Ganwraidd goesgoch

Persicaria maculosa Redshank neu Persicaria

Planhigyn unflwydd, canghennog, fwy neu lai heb flew, weithiau'n unionsyth ond dro arall yn ymledu. Cyffredin ar dir wedi ei drin; hefyd ar fwd agored a gro wrth ochr nentydd, afonydd a llynnoedd. Un o'r chwyn sy'n aros fwyaf ar dir fferm, weithiau'n lliwio'r cnwd yn binc ble mae chwistrell y ffermwr heb lwyddo i'w gyrraedd, a phlanhigyn cyffredin mewn gerddi a thir gwastraff sydd wedi ei droi. Planhigion sy'n tyfu ar lan dŵr yn aml yn llai, ac yn llai canghennog. Arferid casglu'r ffrwythau, sy'n llawn startsh, a'u defnyddio fel grawn.

FFEIL FFEITHIAU

Taldra: 10-80cm.

Blodau: Blodau pinc golau neu binc llachar, wedi eu casglu mewn sbigynnau trwchus, silindraidd 1-3cm o hyd.

Dail: Cul, siâp gwaywffon, pigfain, yn aml gyda marciau tywyll.

Ffrwythau: 2-3mm o hyd, siâp triongl neu siâp lens, du, sgleiniog.

Planhigion Tebyg: Canwraidd y dom *(Persicaria lapathifolia)* sydd â blodau gwyrdd-wyn neu binc budr a choesyn blodyn sydd wedi ei orchuddio gan flew pitw, bras, melyn.

I	Ch	M	E	M	M
G	A	M	H	T	Rh

Canwraidd y dŵr

Persicaria amphibia Amphibious bistort

FFEIL FFEITHIAU

Taldra: 10-100cm.

Blodau: Pinc tywyll wedi eu casglu at ei gilydd mewn sbigynnau tew, trwchus, silindraidd ar goesau hir.

Dail: Dail sy'n nofio ar wyneb y dŵr, siâp gwaywffon, pŵl, heb flew; dail y planhigion ar y tir yn bigfain, gyda blewiach bach iawn.

Ffrwythau: Siâp lens, 2-3mm o hyd, brown, sgleiniog.

Planhigion Tebyg: Ar y tir mae'n bosib ei gamgymryd am y ganwraidd goesgoch (t. 13) neu ganwraidd y dom, llysiau'r neidr *(Persicaria bistorta)* gyda dail cul, tair onglaidd, sy'n ffurfio clystyrau mewn glaswellt llaith yng ngogledd Prydain ac yn lleol ym mhobman arall.

Planhigyn lluosflwydd, gydag ychydig o ganghennau, i'w gael mewn dŵr fel rheol gyda choesynnau a dail sy'n nofio ar yr wyneb, yn gyffredin mewn llynnoedd, pyllau, camlesi a ffosydd wedi gorlifo. Mae ei wreiddiau ymgripiol yn lledaenu yn glytiau mawr sy'n gallu creu band pinc amlwg ac atyniadol o amgylch ochrau dŵr llonydd neu ddŵr sy'n llifo'n araf. Mae hefyd yn tyfu ar y tir, weithiau fel chwyn ar ôl trin y tir, ac yma mae'r planhigion yn unionsyth gyda dail cul sydd braidd yn flewog ac yn cynhyrchu pennau o flodau sy'n llai mewn nifer ac yn edrych yn flêr.

I	Ch	M	E	M	M
G	A	M	H	T	Rh

Y Glymog ddu

Fallopia convolvulus Black bindweed

Planhigyn unflwydd, ymledol neu droellog ar dir âr. Dengys safleoedd archeolegol iddo fod yn chwyn ar dir âr ym Mhrydain ers amser maith, a tan yn gymharol ddiweddar roedd ei ffrwythau yn un o brif halogyddion had amaethyddol. Cynrychiola ganran arwyddocaol o fanc hadau tir âr. Ambell dro mae gan y planhigion berianthau adeiniog, yn arbennig ar bridd ffrwythlon ochrau'r coed a'r gwrychoedd, sy'n debyg i rai clymog y berth (*Fallopia dumetorum*) sy'n blanhigyn prinnach.

FFEIL FFEITHIAU

Taldra: 10-120cm.

Blodau: Anamlwg disylw, gwyrdd/wyn neu wyrdd/binc mewn clystyrau bach neu sbigynnau rhydd.

Dail: Siâp calon neu siâp saeth, pigfain.

Ffrwythau: Cnau trionglog, du afloyw hyd at 5mm o hyd, pob un yn amgaeëdig yng ngweddillion tenau y perianth.

Planhigion Tebyg: Cwlwm y cythraul (t. 142) a taglys y perthi (t. 143) yn blanhigion troellog sydd ddim yn perthyn. Mae ganddynt flodau gwyn neu binc siâp utgorn.

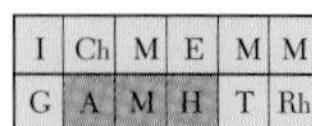

Clymog Japan

Fallopia japonica Japanese knotweed

Planhigyn lluosflwydd, cryf gyda gwreiddgyffion (rhisomau) egnïol a choesynnau tew, gwag, cochlyd sy'n fwaog ac yn ganghennog ar y rhan uchaf. Ffurfia ddryslwyn trwchus ar dir anial, tir diffaith, ar gloddiau ac argloddiau rheilffordd, ochrau'r ffyrdd a gerddi sydd ddim yn cael sylw rheolaidd. Yn wreiddiol o Japan, mae'n bur debyg mai dyma'r chwyn gwaethaf erioed i gyrraedd Prydain ac Iwerddon, ble mae'n lledaenu'n gyflym. Mae Deddf Bywyd Gwyllt a Chefn Gwlad 1981 yn gwahardd ei gyflwyno'n fwriadol i'r gwyllt ym Mhrydain.

FFEIL FFEITHIAU

Taldra: 100-250cm.

Blodau: Gwyrdd/wyn, weithiau'n binc mewn clystyrau canghennog.

Dail: Siâp calon, yn cael eu torri'n sydyn yn y bôn, pigfain, braidd yn anystwyth.

Ffrwythau: Ni fydd ffrwythau'n cael eu ffurfio'n aml ym Mhrydain ac Iwerddon.

Planhigion Tebyg: Llai cyffredin na'r glymog fawr *(Fallopia sachalinense)* sydd hyd yn oed yn fwy, hyd at 4m o uchder, gyda dail mwy hirgul, siâp calon wrth y bôn.

I	Ch	M	E	M	M
G	A	M	H	T	Rh

Suran y cŵn

Rumex acetosa Sorrel

FFEIL FFEITHIAU

Taldra: 10-120cm.

Blodau: Pitw bach, cochlyd neu wyrdd, mewn sbigynnau canghennog, y blodau benywaidd a gwrywaidd ar blanhigion gwahanol.

Dail: Dail ar y bôn a rhannau isaf y coesyn gyda choes arnynt, siâp fel gwaywffon i saeth, pŵl, gyda phâr o labedau yn pwyntio at i lawr ar y bôn; y dail uchaf heb goes.

Ffrwythau: Cnau 3 ochrog brown, sgleiniog, 2-2.5mm o hyd, pob un yn amgaeëdig yng ngweddillion tenau y perianth.

Planhigion Tebyg: Mae suran yr ŷd (t. 18) yn llai ac mae llabedau'r bôn yn pwyntio tuag at allan.

Planhigyn lluosflwydd unionsyth sy'n tyfu ar laswelltir, ochrau'r ffyrdd, llwybrau'r coed, twyni tywod a thir creigiog; gall roi arlliw cochlyd i'r gweirgloddiau ym Mai a Mehefin. Caiff y blodau eu peillio gan y gwynt. Mae blas asid ar bob rhan o'r planhigyn a gellir defnyddio'r dail mewn salad neu i roi blas ar saws neu gawl – er fod suran y gerddi yn rhywogaeth wahanol. Mae planhigion o laswelltir y twyni tywod *(machair)* yn yr Alban a gorllewin Iwerddon (sy'n cynnwys darnau mân o gregyn) yn fyrrach, llai canghennog gyda blew byr, gwyn ar y coesynnau a'r dail.

I	Ch	M	E	M	M
G	A	M	H	T	Rh

Suran yr ŷd

Rumex acetosella   Sheep's sorrel

FFEIL FFEITHIAU

Taldra: 5-30cm, weithiau cymaint â 50cm.

Blodau: Pitw bach, mewn sbigynnau canghennog, y blodau gwrywaidd a benywaidd ar blanhigion gwahanol.

Dail: Cul, siâp gwaywffon, gyda phâr o labedau wrth y bôn yn pwyntio tuag at allan, yn aml â gwawr goch.

Ffrwythau: Cnau 3 ochrog, 1-1.5 mm o hyd, pob un yng ngweddillion brown, tenau y perianth.

Planhigion Tebyg: Mae suran y cŵn (t. 17) yn fwy ac mae'r llabedau sydd wrth y bôn yn pwyntio tuag at i lawr yn hytrach na tuag at allan.

Planhigyn lluosflwydd, unionsyth, yn ganghennog, gyda gwreiddiau sy'n ymledu, weithiau'n ffurfio clystyrau eithaf sylweddol ar rostir, glaswelltir, brigiad craig, pennau muriau, traethau graean bras a thwyni tywod ble mae pridd asidig gydag ychydig o faeth. Ar bridd tywodlyd neu fawnaidd gall y planhigyn hwn fod yn chwyn sy'n mynnu aros mewn pridd fferm neu yn yr ardd. Mae'r planhigyn cyfan â blas asid arno. Caiff ei beillio gan y gwynt. Rhywogaeth amrywiol iawn: ceir planhigion gwahanol iawn o rostir sych, sydd â dail cul, tebyg i strap.

I	Ch	M	E	M	M
G	A	M	H	T	Rh

Dail tafol

Rumex obtusifolius Broad-leaved Dock

Planhigyn lluosflwydd, cadarn yn codi o wreiddyn nobl ac yn ffurfio clystyrau o ddail amlwg ar dir wedi'i drin, tir anial a glannau afonydd. Cŷn dyddiau chwynladdwyr modern, roedd yn un o'r prif chwyn ar dir âr ac mae'n cael ei restru fel niweidiol dan Ddeddf Chwyn 1959. Mae'n aml yn croesi gyda'r tafol crych (t. 20) pan mae'r ddau'n tyfu gyda'i gilydd. Defnyddid y dail mawr i lapio o gwmpas menyn a dywedir eu bod yn dda at leddfu pigiadau danadl poethion. Peillir y blodau gan y gwynt, ac weithiau gan gacwn.

FFEIL FFEITHIAU

Taldra: 50-150cm.

Blodau: Pitw, gwyrdd neu gochlyd, mewn sbigynnau mawr, llac, deiliog.

Dail: Llydan, hirgul, siâp calon wrth y bôn, pŵl.

Ffrwythau: Cnau siâp triongl pitw, pob un yng ngweddillion brown, tenau y perianth gydag ymylon pigog ac un (3 yn anghyffredin) ddafaden gorciog.

Planhigion Tebyg: Aelodau eraill o deulu'r canclwm; mae gan y tafol crych (t. 20) ddail siâp gellygen, a blaen main gydag ymylon crych a dim pigau ar y ffrwythau; pur anaml mae'n ffurfio clystyrau mawr.

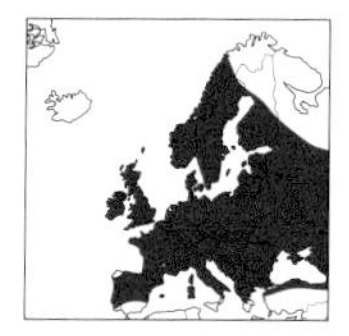

I	Ch	M	E	M	M
G	A	M	H	T	Rh

Tafol Crych

Rumex crispus Curled dock

Planhigyn lluosflwydd, unionsyth yn codi o wraidd hir; planhigyn cyffredin ar dir âr a thir anial, traethau graean bras, twyni tywod a mwd llanw aberoedd. Cynhyrchir yr hadau mewn niferoedd enfawr a gallant oroesi am dros 50 mlynedd yn y pridd. Cyn dyddiau chwynladdwyr modern, roedd yn un o'r prif chwyn ar dir âr ac mae'n cael ei restru fel niweidiol dan Ddeddf Chwyn 1959. Peillir y blodau gan y gwynt, ac weithiau gan gacwn. Rhywogaeth amrywiol iawn, gydag isrywogaethau amlwg ar lan y môr ac mewn mwd aberoedd.

FFEIL FFEITHIAU

Taldra: 50-120cm, ambell dro hyd at 250cm.

Blodau: Pitw, gwyrdd neu gochlyd, mewn sbigynnau mawr, llac, deiliog.

Dail: Siâp gwaywffon, blaen main, gydag ochrau crych.

Ffrwythau: Cnau siâp triongl pitw, pob un yng ngweddillion brown, tenau y perianth gydag ymylon llyfn ac 1-3 dafaden gorciog.

Planhigion Tebyg: Aelodau eraill o'r teulu; mae gan ddail tafol (t. 19) ddail mwy llydan, pŵl heb ochrau crych a ffrwythau danheddog.

Betys arfor

Beta vulgaris ssp. maritima Sea beet

I	Ch	M	E	M	M
G	A	M	H	T	Rh

Planhigyn lluosflwydd, blêr sydd naill ai'n unionsyth neu'n ymledu'n flêr ac yn ffurfio clystyrau amlwg iawn ar draethau graeanog, ymylon corsydd heli, morgloddiau, creigiau glan y môr a chlogwyni uwchben y môr. I'w ganfod drwy Brydain heblaw am ogledd yr Alban. Mae llawer iawn o siwgr yn y gwreiddyn tew ac mae'r betys siwgr yn amrywiad ar y planhigyn yma, fel mae'r betysen goch, y betys sbigoglys a'r gorfetys sydd i'w gweld yn y gerddi. Mae'r corcyn sy'n rhan o'r ffrwyth yn caniatáu i'r hadau nofio ar wyneb y môr a chael eu gwasgaru ar hyd yr arfordir gan y llanw.

FFEIL FFEITHIAU

Taldra: 30-100cm.

Blodau: Gwyrdd, 3-4 mm mewn sbigynnau hir, trwchus, deiliog.

Dail: Siâp triongl, gwyrdd tywyll, gloyw, yn teimlo fel lledr, gydag ymylon crych.

Ffrwythau: Sfferaidd, 3-4mm ar draws, wedi eu hamgáu mewn perianth o gorcyn.

Planhigion Tebyg: Mae troed yr ŵydd gwyn (t. 22) yn blanhigyn unflwydd o dir gwastraff a thir âr sydd â dail goleuach, gyda gwawr fel blawd arnynt.

I	Ch	M	E	M	M
G	A	M	H	T	Rh

Troed yr ŵydd gwyn

Chenopodium album Fat hen

Planhigyn unflwydd, yn aml yn gadarn ac yn lledaenu'n ganghennog ar dir gwastraff a thir âr, ac yn hoff o bridd ffrwythlon. Hwn yw'r mwyaf cyffredin o'r dwsin neu fwy o droed yr ŵydd (sawl un yn estron) sydd ym Mhrydain ac Iwerddon. Maent i'w gweld ar dir agored neu dir sydd wedi cael ei aflonyddu. Roedd troed yr ŵydd gwyn yn arfer cael ei ddefnyddio yn lle'r sbigoglys a'r hadau'n cael eu defnyddio fel grawn. Ymddengys nad oes ganddo gynefin naturiol ac mae'n debyg ei fod wedi esblygu'n naturiol yn gyfochrog ag anheddau dyn. Rhywogaeth amrywiol iawn.

FFEIL FFEITHIAU

Taldra: 20-150cm.

Blodau: Pitw, gwyrdd, wedi eu casglu at ei gilydd mewn clystyrau.

Dail: Hirgrwn, siâp diemwnt neu siâp padl, gwyrdd/lwyd, gwawr fel blawd, bron yn ddanheddog neu'n fras ddanheddog.

Ffrwythau: Lluosog, pitw gydag 1 hedyn du neu frown, wedi eu fflatio ac yn loyw.

Planhigion Tebyg: Betys arfor (t. 21) sy'n blanhigyn lluosflwydd gyda dail gwyrdd tywyll, gloyw. Mae troed yr ŵydd coch *(Chenopodium rubrum)*, gyda dail ag ochrau danheddog tolciog, yn tyfu o gwmpas y domen dail ac ar forfa heli.

I	Ch	M	E	M	M
G	A	M	H	T	Rh

Llygwyn culddail

Atriplex patula Common orache

Planhigyn unflwydd, unionsyth neu'n ymledu, yn aml â gwawr fel blawd arno, canghennog, i'w ganfod ar dir gwastraff a thir âr, yn arbennig ar dir ffrwythlon. Mae hanner dwsin neu fwy o'r llygwyn cynhenid ym Mhrydain ac Iwerddon ond hwn yw'r mwyaf cyffredin. Mae'r cyfan yn tyfu ar yr arfordir, morfa heli, tir agored neu dir sydd wedi'i aflonyddu. Mae'n blanhigyn, yn debyg i droed yr ŵydd gwyn (t. 22), sydd heb gynefin naturiol ac yn ôl pob tebyg wedi esblygu'n naturiol yn gyfochrog ag anheddau dyn. Mae'r llygwyn hefyd wedi cael eu coginio a'u bwyta fel y sbigoglys.

FFEIL FFEITHIAU

Taldra: 20-100cm.

Blodau: Pitw gwyrdd, mewn clystyrau hirfain, trwchus.

Dail: Siâp triongl neu siâp gwaywffon, gallant fod yn ddanheddog, gyda phâr o ddannedd yn pwyntio ymlaen tua'r bôn.

Ffrwythau: Llawer, bach, pob un yn cynnwys 1 hedyn wedi'i fflatio, oddi fewn i fractau siâp triongl.

Planhigion Tebyg: Mae'r llygwyn tryfa, (*Atriplex prostrata*), planhigyn amrywiol, yn aml yn llorweddol ar dir âr a'r arfordir, â'i ddail gyda'r dannedd sy'n y bôn yn ymledu ar ongl sgwâr.

I	Ch	M	E	M	M
G	A	M	H	T	Rh

Serenllys mawr, neu Botwm crys

Stellaria holostea Greater stitchwort

Planhigyn lluosflwydd, main gyda choesyn pedair ongl sy'n wan a bregus, yn ffurfio clystyrau ym môn y clawdd, ar ochrau llwybrau ac ar ffiniau coedwig. Un o flodau mwyaf nodweddiadol a harddaf y gwanwyn, yn llonni ochrau'r ffyrdd gyda'i doreth o flodau. Er ei fod yn gyffredin, nid yw i'w weld ar dir asid nac mewn rhai ardaloedd yng ngogledd yr Alban a gorllewin Iwerddon. Mae'r enw botwm crys yn gyfeiriad at fotwm a welid ar grys gwlanen ers talwm. Mae'n bosib fod yr enw Saesneg yn cyfeirio at ei ddefnydd fel llysieuyn llesol i drin 'stitch' neu boen sydyn yn y cylla.

FFEIL FFEITHIAU

Taldra: 20-60cm.

Blodau: Gwyn, mewn clystyrau llac, 15-25 mm ar draws, y 5 petal yn rhannu ar eu hanner; 10 briger melyn golau.

Dail: Mewn parau gyferbyn â'i gilydd, fymryn yn llwyd/wyrdd, cul, ochrau bras, yn meinhau o'r bôn i flaen y ddeilen.

Ffrwythau: Capsiwlau sfferaidd, 6-8mm o hyd, yn hollti'n 6 segment.

Planhigion Tebyg: Mae'r serenllys bach *(Stellaria graminea)* yn feinach ac yn fwy ymledol, gyda phetalau llai yn rhannu i'r bôn. Mae sawl rhywogaeth debyg sy'n perthyn i'w gilydd.

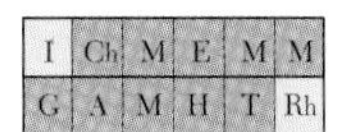

I	Ch	M	E	M	M
G	A	M	H	T	Rh

Yn blodeuo gydol gaeafau mwyn

Gwlydd y dom

Stellaria media Common chickweed

Planhigyn unflwydd, llorweddol neu ymledol, gyda choesyn main, tenau wedi ei farcio ar ochrau gyferbyn â'i gilydd gyda llinell o flew. Mae'n ffurfio clystyrau mawr ar dir agored, yn enwedig tir âr. Mae'r planhigyn angen (ac yn goddef) lefelau uchel o faeth ac yn goroesi hyd yn oed mewn tomen dail ac ar glogwyni ble mae adar môr yn nythu. Gall fod yn boen fel chwyn ond mae i'w groesawu fel un o'r blodau cyntaf sydd i'w weld yn y flwyddyn, ynghyd â pwrs y bugail (t. 47), marddanhadlen goch (t. 154) a'r creulys (t. 215).

FFEIL FFEITHIAU

Taldra: 5-40cm.

Blodau: Gwyn, 3-10mm ar draws, gyda 5 petal wedi'u bylchu'n ddwfn a 3-8 briger cochlyd.

Dail: Mewn parau gyferbyn â'i gilydd, hirgrwn neu siâp gwaywffon, ar goesyn, 1 wythïen, blaen pigfain.

Ffrwythau: Capsiwlau siâp ŵy, yn hollti'n 6, ac yn hongian pan fyddant yn aeddfed.

Planhigion Tebyg: Y tywodlys teirnerf *(Moehringia trinerva)*, gyda 3-5 gwythïen ar bob deilen ac yn tyfu mewn coedwig. Mae gan y tywodlys dail teim *(Arenaria serpyllifolia)* ddail pitw sydd heb goesyn a'r ffrwythau yn unionsyth. Mae'n tyfu ar dir llwm, sych.

Carpiog y gors

Lychnis flos-cuculi Ragged robin

I	Ch	M	E	M	M
G	A	M	H	T	Rh

Planhigyn lluosflwydd, unionsyth, canghennog, yn aml yn gochlyd, sy'n tyfu mewn corsydd, gweirgloddiau gwlyb, llennyrch a llwybrau mewn coedwigoedd. Golwg fratiog, garpiog sydd ar y blodau pinc. Mae'n llawer iawn llai cyffredin nag y bu am fod dulliau modern o amaethu wedi dinistrio'r hen weirgloddiau. Mae'n gynyddol boblogaidd mewn gerddi yn adlewyrchu sylw John Gerard yn ei *Herball* 1597: 'Ni ddefnyddir y rhain nac ar gyfer meddyginiaeth nac fel maeth: ond defnyddir hwy ar gyfer garlant neu goron, ac i harddu'r ardd.'

FFEIL FFEITHIAU

Taldra: 25-90cm.

Blodau: Pinc tywyll, rhai gwyn yn anghyffredin, 20-25 mm ar draws, pob un o'r 5 petal wedi'i dorri'n 4 llabed ddofn; calycs â 10 gwythïen.

Dail: Mewn parau gyferbyn â'i gilydd, y rhai isaf yn hirgul, y rhai uchaf yn gul, siâp gwaywffon, pigfain.

Ffrwythau: Capsiwlau siâp silindr yn agor gyda phum dant byr, pob un oddi fewn i'r calycs parhaol sydd â gwythiennau coch.

Planhigion Tebyg: Mae gan y blodyn neidr (t. 27) betalau gyda 2 labed fâs a 10 o ddannedd sy'n cyfeirio'n ôl ar y capsiwl.

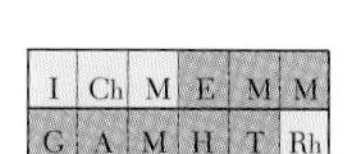

Yn blodeuo gydol gaeafau mwyn

Blodyn neidr neu Blodyn taranau

Silene dioica Red campion

Planhigyn eilflwydd neu luosflwydd, blewog, unionsyth, canghennog sy'n tyfu mewn coedlannau, ar hyd lonydd cysgodol, gwrychoedd a chreigiau'r arfordir. Mae'n ddigon cyffredin yng Nghymru, ond yn brin yn Iwerddon. Bydd yn croesi'n aml gyda'r gludlys gwyn (t. 28), yn arbennig lle'r aflonyddwyd ar y cynefin. Planhigyn cynhenid y coedlannau sydd wedi addasu i gynefinoedd mwy agored oherwydd croesiadau dros sawl cenhedlaeth. Tyfir amrywiad hardd gyda blodyn dwbl yn yr ardd. Defnyddir yr enw blodyn taranau neu flodyn tyrfe hefyd mewn rhai ardaloedd.

FFEIL FFEITHIAU

Taldra: 20-90cm.

Blodau: Pinc tywyll, 15-25 mm ar draws, blodau gwrywaidd a benywaidd ar wahanol blanhigion, dim arogl, 5 petal wedi'u bylchu'n ddwfn; calycs 10 gwythïen (blodau gwrywaidd) neu galycs 20 gwythïen (blodau benywaidd).

Dail: Mewn parau gyferbyn â'i gilydd, fwy neu lai yn siâp gwaywffon, pigfain, i'w gweld yn y gaeaf.

Ffrwythau: Capsiwlau silindraidd, yn agor gyda 10 dant sy'n crymu'n ôl.

Planhigion Tebyg: Planhigion tebyg ond yn dalach gyda blodau pinc golau yw croesiadau gyda'r gludlys gwyn (t. 28). Mae gan garpiog y gors (t. 26) betalau sydd wedi'u torri'n 4 llabed ddofn.

I	Ch	M	E	M	M
G	A	M	H	T	Rh

Gludlys gwyn

Silene latifolia White campion

Planhigyn unionsyth, aml ganghennog, eilflwydd neu luosflwydd, sydd â blew meddal, trwchus sydd i'w weld ar dir âr, ochrau'r ffyrdd a'r gwrychoedd. Yn croesi'n aml gyda'r blodyn neidr (t. 27), yn arbennig ble'r aflonyddwyd ar y cynefin ac yn creu amrywiaeth o flodau lliwgar. Mae'r blodau'n fwy amlwg a phersawrus yn y cyfnos i ddenu'r gwyfynod i'w peillio. Mae'n bur debyg i'r blodyn gyrraedd yma o dde Ewrop gyda mewnfudwyr Oes y Cerrig. Mae i'w weld yn llai aml yn Iwerddon a gorllewin yr Alban.

FFEIL FFEITHIAU

Taldra: 30-100cm.

Blodau: Gwyn, persawrus, 20-30 mm ar draws, gyda 5 petal wedi'u bylchu'n ddwfn, blodau gwrywaidd a benywaidd ar wahanol blanhigion.

Dail: Mewn parau gyferbyn â'i gilydd, fwy neu lai yn siâp gwaywffon, pigfain.

Ffrwythau: Capsiwlau siâp ŵy, 12-18mm o hyd, yn agor gyda 10 dant unionsyth.

Planhigion Tebyg: Mae gan y gludlys codrwth (t. 29) galycs sy'n fwy chwyddedig ac yn debyg i bledren gyda dail sy'n fwy llwyd.

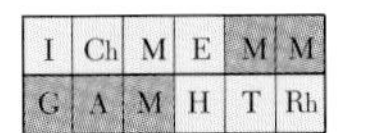

I	Ch	M	E	M	M
G	A	M	H	T	Rh

Gludlys codrwth

Silene vulgaris Bladder campion

Planhigyn llwydaidd, lluosflwydd, esgynnol, canghennog, fwy neu lai heb flew, sydd i'w weld ar laswelltir agored, cloddiau sych a thir âr. Mae'n gyffredin er yn gyfyngedig mewn rhai mannau; yn brin yn yr Alban, yn arbennig yn y gorllewin. Rhywogaeth amrywiol iawn, a dydi pob botanegwr (ac felly llyfrau blodau gwyllt) ddim yn gwahaniaethu rhyngddo a'r gludlys arfor (t. 30). Mae'r blodau, fel rhai'r gludlys gwyn (t. 28), yn amlycach yn y cyfnos ac fe'u peillir gan wyfynod sy'n hedfan yn y nos.

FFEIL FFEITHIAU

Taldra: 20-60cm.

Blodau: Mewn clystyrau llac, gwyn, 10-18 mm ar draws, gyda 5 petal wedi'u bylchu'n ddwfn, calycs siâp ŵy, tebyg i bledren, yn felyn neu'n borffor.

Dail: Hirgrwn, braidd yn anhyblyg, pigfain, cwyraidd, llwydaidd.

Ffrwythau: Capsiwlau silindraidd, yn agor gyda 5 dant sydd oddi fewn i galycs parhaol, sy'n denau fel papur.

Planhigion Tebyg: Y gludlys arfor (t. 30) sydd fwy neu lai'n llorweddol gyda choesyn heb fod yn ganghennog a blodau mwy.

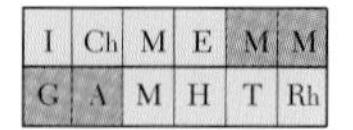

Rhai blodau tan fis Hydref

Gludlys arfor

Silene uniflora Sea campion

Planhigyn lluosflwydd, yn ffurfio clystyrau a chlustogau llac ar draethau graeanog, clogwyni, creigiau a waliau ger y môr. Cewch hyd iddo ar fynyddoedd, creigiau sy'n gyfoethog mewn plwm, tomenni rwbel o fwyngloddiau plwm ac ar lannau llynnoedd. Yng ngorllewin Cymru fe'i gwelir ambell dro mewn mynwentydd ble defnyddiwyd graean sy'n gyfoethog mewn plwm i orchuddio'r beddau. Mae'n rhywogaeth amrywiol iawn, yn arbennig ym mynyddoedd gorllewin a chanol Ewrop, a gall fod yn anodd gwahaniaethu rhyngddo a'r gludlys codrwth (t. 29).

FFEIL FFEITHIAU

Taldra: 10-30cm.

Blodau: Fel arfer ar eu pennau eu hunain, gwyn, 20-25mm ar draws, gyda 5 petal wedi'u bylchu'n ddwfn, calycs siâp tebyg i bledren silindraidd, yn wyrdd, melyn neu borffor.

Dail: Siâp gwaywffon, anhyblyg, pigfain, noddlawn, llwyd.

Ffrwythau: Capsiwlau silindraidd, yn agor gyda 5 dant sydd oddi fewn i galycs parhaol, tenau fel papur.

Planhigion Tebyg: Mae'r gludlys codrwth (t. 29) fwy neu lai'n unionsyth gyda choesyn canghennog.

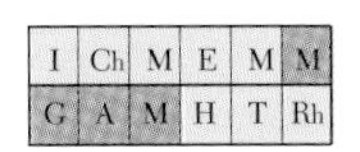

FFEIL FFEITHIAU

Taldra: 1-2m.

Blodau: Gwyn, peraroglus, 20cm ar draws, gyda 15-25 o betalau, 4 sepal gwyrdd a llawer o frigerau mawr, melyn, cyfoethog.

Dail: Arnofio, crwn, gwyrdd, hyd at 30cm ar draws, yn teimlo'n debyg i ledr.

Ffrwythau: Capsiwlau mawr, fel sbwng, dafadennog gyda llawer o hadau.

Planhigion Tebyg: Lili'r dŵr addurnol, ac mae llawer yn groesiadau gardd.

Alaw

Nymphaea alba White water-lily

Planhigyn lluosflwydd, di-flew, dyfrol sy'n byw mewn llynnoedd a dyfroedd llonydd eraill, yn codi o wreiddgyff corciog enfawr ac weithiau'n ffurfio clystyrau mawr. Mae'r dail a'r blodau'n nofio ar ben coesyn hir. Mae'r ffrwythau'n suddo ar ôl blodeuo ac yn aeddfedu islaw wyneb y dŵr. Mae i'w gael ym mhob man, ond ar ei fwyaf cyffredin yn y gorllewin yn yr Alban ac Iwerddon. Mae wedi dioddef, ynghyd â phlanhigion dyfrol eraill, am ei fod wedi ei gasglu ar gyfer masnach arddwriaethol. Mewn rhai mannau mae wedi'i ddisodli gan blanhigion sydd wedi dianc o'r ardd. Dyma ein blodyn gwyllt mwyaf.

I	Ch	M	E	M	M
G	A	M	H	T	Rh

Lili'r dŵr felen

Nuphar lutea Yellow water-lily

Planhigyn lluosflwydd, di-flew, dyfrol sy'n cartrefu mewn dyfroedd llonydd neu ddyfroedd sy'n symud yn araf, ac yn codi o wreiddgyff corciog enfawr ac weithiau'n ffurfio clystyrau mawr. Mae'r dail dan y dŵr ac yn arnofio ar bendraw coesyn hir sydd fel sbwng; mae'r blodau'n ymddangos sawl centimedr uwchlaw wyneb y dŵr. Gwelir y planhigyn hwn yn amlwg mewn sawl nant ac afon drwy Brydain ac Iwerddon, heblaw am yr Alban.

FFEIL FFEITHIAU

Taldra: 1-2m.

Blodau: Melyn, 3-8 cm ar draws, gyda 5-6 o sepalau amlwg, sy'n llawer mwy na'r 20 (fwy neu lai) petal; llawer o frigerau melyn.

Dail: Arnofio, crwn, gwyrdd, hyd at 40cm ar draws, yn teimlo fel lledr; mae'r dail sydd dan y dŵr yn deneuach a chrychlyd.

Ffrwythau: Capsiwlau tebyg i fflasg, mymryn o arogl alcohol arnynt.

Planhigion Tebyg: Mae'r lili'r dŵr eddïog *(Nymphoides peltata)*, gyda phetalau a blodau llai, pob un gyda 5 petal eddïog, yn gyffredin mewn rhai mannau yng nghanolbarth a de Lloegr.

Gold y gors neu Melyn y gors

Caltha palustris Marsh marigold

I	Ch	M	E	M	M
G	A	M	H	T	Rh

FFEIL FFEITHIAU

Taldra: 20-50cm.

Blodau: Aur felyn, disglair, 2-5cm ar draws, gyda 5 sepal sy'n debyg i betalau a llawer o frigerau melyn.

Dail: Siâp aren/calon, hyd at 10cm ar draws, gwyrdd tywyll, gydag ochrau crwn, danheddog, taclus.

Ffrwythau: Grwpiau o 5-15 o ffrwythau gyda phig arnynt sy'n 10-18mm o hyd gyda llawer o hadau ynddynt.

Planhigion Tebyg: Mae gan y blodau ymenyn (tt.35-39) sepalau a phetalau ar wahân, a ffrwythau gydag un hedyn ynddynt.

Planhigyn lluosflwydd, di-flew, gyda choesyn canghennog, nobl, gwag yn ffurfio clystyrau mewn corsydd, caeau gwlyb, ffosydd a choed gwlyb. Yn gyffredin ond nid cymaint ag a fu oherwydd draenio'r tir a dulliau modern o amaethu yn achosi diflaniad hen weirgloddiau. Mae'r planhigyn yn wenwynig a bydd anifeiliaid sy'n pori yn ei osgoi. Mae planhigion mewn ardaloedd mynyddig yn fach a bydd y coesyn weithiau'n gwreiddio; bydd y rhain yn blodeuo'n ddiweddarach. Mae garddwyr yn tyfu amrywiadau oren a rhai â blodau dwbl.

Blodyn y gwynt

Anemone nemorosa Wood anemone

I	Ch	M	E	M	M
G	A	M	H	T	Rh

Tan fis Meh yn y mynyddoedd

FFEIL FFEITHIAU

Taldra: 8-25cm.

Blodau: Unigol, gwyn, gwawr binc neu borffor dan y petalau, weithiau'n lliw lelog neu las, 2-4cm ar draws, gyda 5-7 (weithiau cymaint â 12) sepal sy'n edrych fel petalau a llawer o frigerau melyn golau.

Dail: Pob un gyda 3 llabed ddanheddog wedi'u rhannu sawl gwaith; mae'r dail sydd ar y coesyn yn ffurfio coler islaw'r blodyn i'w ddiogelu.

Ffrwythau: 1 hedyn mewn pen crwn gyda blew mân iawn arno.

Planhigion Tebyg: Anemonïau sydd wedi eu meithrin, ond yn aml iawn mae blodau glas gan y rhain.

Planhigyn lluosflwydd, cain, melfedaidd gyda gwreiddgyff sy'n ymledu; yn gyffredin mewn rhai mannau mewn coedwig agored, coedlannau a gwrychoedd, hefyd gweirgloddiau ac ambell gilan ar y mynyddoedd. Mae'n nodweddiadol o hen goedlan sydd wedi goroesi neu'n arwydd o fan ble bu hen goedlan. Mae'n gyffredin drwy Brydain heblaw am ogledd yr Alban. Mae'n un o flodau tlws y gwanwyn – weithiau'n ymddangos mewn clystyrau mawr, a'r pennau gwynion yn siglo'n yr awel. Mae pob darn o'r planhigyn yn wenwynig.

I	Ch	M	E	M	M
G	A	M	H	T	Rh

Blodyn ymenyn

Ranunculus acris Meadow buttercup

FFEIL FFEITHIAU

Taldra: 30-100cm.

Blodau: Melyn llachar, disglair, 15-25mm ar draws, gyda 5 petal, mewn clystyrau llac; y sepalau'n lledaenu.

Dail: Wedi eu rhannu'n ddwfn i 3, 5 neu 7 llabed, a phob un wedi ei rhannu'n ddwfn.

Ffrwythau: 1 hedyn gyda phig fel bach mewn pen crwn.

Planhigion Tebyg: Blodau ymenyn eraill (t. 36-39). Mae gan y blodyn ymenyn bondew (t. 36) flodau gyda sepalau'n troi i lawr; tyfu mewn llefydd mwy cysgodol mae'r blodyn ymenyn ymlusgol *(Ranunculus repens)* gydag ymledyddion sy'n gwreiddio'n egnïol.

Planhigyn lluosflwydd, unionsyth, sydd braidd yn flewog. Planhigyn cyffredin ar laswelltir llaith, ochrau'r ffyrdd, llwybrau'r goedwig, corsydd a chilannau'r mynydd. Hwn yw'r blodyn menyn mwyaf cyffredin ac yn aml iawn bydd yn troi caeau cyfain yn felyn, er bod hyn yn digwydd yn llai aml erbyn hyn oherwydd dulliau modern o amaethu. Mae'r planhigyn cyfan yn wenwynig a gall y sudd chwerw greu swigod neu bothell ar y croen. Mae arwyneb y blodau yn llathredig oherwydd fod golau'n adlewyrchu oddi ar ronynnau startsh y tu fewn i feinwe'r petalau.

I	Ch	M	E	M	M
G	A	M	H	T	Rh

Blodyn ymenyn bondew

Ranunculus bulbosus Bulbous buttercup

Planhigyn lluosflwydd, unionsyth, blewog gyda bôn coesyn sydd yn amlwg wedi chwyddo neu gorm, a geir ar bridd sy'n draenio'n dda ac yn galchog, yn arbennig mewn glaswelltir sych neu dwyni tywod. Yng ngogledd yr Alban ac Iwerddon mae'n fwy cyfyngedig ac yn tyfu ar yr arfordir yn unig. Dyma'r cyntaf i flodeuo o'r tri blodyn ymenyn cyffredin; tymor blodeuo byr sydd ganddo ac mae'r blagur gwyrdd yn marw o ganol yr haf tan yr hydref. Mae'r planhigyn cyfan yn wenwynig a gall y sudd chwerw greu swigod neu bothell ar y croen.

FFEIL FFEITHIAU

Taldra: 10-50cm.

Blodau: Melyn llachar, disglair, 2-3 cm ar draws, gyda 5 petal unigol neu mewn clystyrau canghennog; y sepalau'n troi i lawr.

Dail: Wedi eu rhannu'n ddwfn i 3 llabed, yr un yn y canol fel rheol ar goesyn, pob un yn rhanedig ac yn ddanheddog.

Ffrwythau: 1 hedyn gyda phig sy'n troi mewn pen crwn.

Planhigion Tebyg: Mae'r blodyn ymenyn ymlusgol *(Ranunculus repens)* gydag ymledyddion sy'n gwreiddio'n egnïol yn tyfu mewn llefydd mwy cysgodol ac fel chwyn. Mae'r blodyn ymenyn (t. 35) yn dalach gyda dail rhanedig a sepalau ymledol.

I	Ch	M	E	M	M
G	A	M	H	T	Rh

Llygad Ebrill

Ranunculus ficaria Lesser celandine

FFEIL FFEITHIAU

Taldra: 5-30cm.

Blodau: Melyn llachar, disglair, 15-30mm ar draws, gyda 8-12 o betalau cul, unigol sy'n agor pan fo'r haul yn llachar; 3 sepal.

Dail: Siâp calon, ochr esmwyth neu bŵl, wedi'u bylchu'n ddwfn wrth y bôn, yn aml yn frith gyda marciau porffor neu rhai golau.

Ffrwythau: Bychan bach, 1 hedyn, heb big, mewn pen crwn; yn aml ddim yn datblygu o gwbl.

Planhigion Tebyg: Perthyn yn agos i'r blodau ymenyn a chrafanc y frân (tt. 35-40) sydd gyda 5 sepal a dail rhanedig; fel rheol yn blodeuo'n ddiweddarach.

Planhigyn lluosflwydd, di-flew sy'n tyfu'n isel, gan ffurfio clystyrau helaeth mewn coedydd, cloddiau, mynwentydd, gerddi, glannau afonydd a nentydd ac weithiau glaswelltiroedd. Mae'r gwreiddiau'n datblygu cloron chwyddedig, sydd hefyd yn ffordd o atgenhedlu ac, yn ddiweddarach yn y tymor, mae bylbynnau sy'n debyg i gloron yn tyfu o'r ongl rhwng y coesyn a choesyn y ddeilen. Un o'r blodau cyntaf i ymddangos ar derfyn y gaeaf ac yn arwydd pendant o'r gwanwyn. Bydd y planhigyn wedi marw erbyn diwedd Mehefin.

Llafnlys bach

Ranunculus flammula Lesser spearwort

I	Ch	M	E	M	M
G	A	M	H	T	Rh

FFEIL FFEITHIAU

Taldra: 10-50cm.

Blodau: Melyn golau, disglair, 8-20mm ar draws, gyda 5 petal.

Dail: Siâp gwaywffon neu'n hirgrwn cul, gydag ochrau diddannedd neu gyda'r dannedd yn fas.

Ffrwythau: 1 hedyn, gyda phig byr mewn pen crwn.

Planhigion Tebyg: Blodau ymenyn eraill (tt. 36-39). Mae'r llafnlys mawr *(Ranunculus lingua)* yn gyfyngedig ei ddosbarthiad, yn dalach ac yn llawer mwy cadarn gyda blodau sy'n 3-5cm ar draws.

Planhigyn lluosflwydd, unionsyth, esgynnol, yn tyfu'n flêr neu'n ymledol, di-flew; rhan isaf y coesyn yn aml yn gochlyd a gwag, ac yn gwreiddio. Planhigyn cyffredin yn y corsydd, mignedd, glaswelltir llaith ac ochrau pyllau a llynnoedd. Mae'n wenwynig gyda sudd chwerw sy'n codi swigod neu bothelli ar y croen; arferai gael ei ddefnyddio fel meddyginiaeth yn yr Alban. Planhigyn amrywiol iawn. Mae dau amrywiad arbennig o'r llafnlys bach, un yn unionsyth gyda dail cul, a'r llall yn llorweddol gyda dail crwn, ac yn tyfu'n unig yn yr Alban a gorllewin Iwerddon.

I	Ch	M	E	M	M
G	A	M	H	T	Rh

Crafanc yr eryr

Ranunculus sceleratus Celery-leaved buttercup

FFEIL FFEITHIAU

Taldra: 15-50cm.

Blodau: Melyn golau, sgleiniog, 5-10 mm ar draws, gyda 5 petal, mewn clystyrau canghennog, llac.

Dail: Dail y bôn yn 3 llabedog, a'r llabedau wedi'u rhannu; dail y coesyn yn llai rhanedig; y cyfan yn sgleiniog, gwyrdd.

Ffrwythau: Bychan bach, 1 hedyn, di-flew, mewn pen byr, silindraidd.

Planhigion Tebyg: Mae gan sawl un o'r blodau ymenyn flodau bach, melyn gwelw er mai crafanc yr eryr yw'r mwyaf cyffredin.

Planhigyn unflwydd, unionsyth, aml ganghennog, di-flew ar y cyfan gyda choesyn nobl, gwag; planhigyn cyffredin mewn mannau agored sy'n fwdlyd ac ôl sathru yno, mewn corsydd, glaswelltir llaith ac ochrau pyllau, llynnoedd ac afonydd. Mae'n wenwynig, yn enwedig pan fo'n blodeuo, gyda sudd chwerw sydd â blas chwerw sy'n llosgi'r tafod ac yn achosi swigod neu bothelli ar y geg a'r croen. Y planhigyn hwn yw'r prif reswm dros wenwyno anifeiliaid fferm wrth iddynt fwyta aelodau o deulu'r blodyn ymenyn, ond mae'n ddiogel ei fwydo i anifeiliaid mewn gwair sych.

I	Ch	M	E	M	M
G	A	M	H	T	Rh

Crafanc y frân y llyn

Ranunculus peltatus *Pond water-crowfoot*

Planhigyn lluosflwydd, dyfrol sy'n llusgo ac sy'n gallu ffurfio poblogaethau mawr mewn dyfroedd anllygredig, llonydd mewn nentydd araf, llynnoedd a phyllau. Mae'r blodau'n ymddangos ar goesyn hir, unionsyth uwchlaw wyneb y dŵr, a gall fod yn olygfa drawiadol ar ddiwrnod braf. Dyma un o grŵp o tua deg o grafanc y frân sydd i'w gweld yn Ynysoedd Prydain: rhai mewn dŵr llonydd neu sy'n llifo'n araf gyda dail yn arnofio ar yr wyneb neu dan wyneb y dŵr; rhai mewn dŵr sy'n llifo'n gyflym, gyda dail dan wyneb y dŵr yn unig; eraill ar fwd heb ddail wedi eu gorchuddio gan ddŵr.

FFEIL FFEITHIAU

Taldra: 10-50cm.

Blodau: Unigol, ar goesyn sy'n 50mm neu fwy o hyd, gwyn, sgleiniog, 15-30mm ar draws, gyda 5 petal, pob un gyda smotyn melyn wrth y bôn.

Dail: Dail siâp aren neu bron yn grwn, 5 llabed (weithiau 3 neu 7 llabed), gloyw; y dail sydd dan wyneb y dŵr wedi'u rhannu yn segmentau tebyg i edau.

Ffrwythau: 1 hedyn, gyda phig bach, blewog, mewn pen crwn.

Planhigion Tebyg: Mae crafanc y frân yn wahanol i'r blodau ymenyn am fod ganddo flodau gwyn nid rhai melyn.

I	Ch	M	E	M	M
G	A	M	H	T	Rh

FFEIL FFEITHIAU

Taldra: 1-10m.

Blodau: Unigol ar goesyn 5cm neu'n hwy, heb betalau ond gyda 4 sepal gwyrdd/hufennog a llawer o frigerau hufen.

Dail: Mewn parau gyferbyn â'i gilydd, cyfansawdd, pob un gyda 5 deiliosen; mae coesau'r dail yn ymgordeddu o amgylch brigau neu unrhyw beth arall sy'n cynnal.

Ffrwythau: 1 hedyn, gyda phlufyn wedi deillio o'r stigma, mewn pen crwn.

Planhigion Tebyg: Planhigion gardd sy'n debyg gyda blodau lliwgar, mawr; bydd rhai weithiau'n dianc ac yn ymgartrefu yn y gwyllt.

Barf yr hen ŵr

Clematis vitalba

Traveller's joy neu Old man's beard

Llwyn coediog sy'n dringo ac yn ymledu'n flêr dros wrychoedd, prysgwydd a chloddiau ac yn aml yn cyrraedd cyn uched â changhennau'r coed. Bydd yr hen goesynnau'n aml yn ffurfio liana dolennog mawr yn y coedydd, a'r rhisgl yn plicio i ffwrdd fel llinynnau. Mae pen wedi mynd i had yn nodwedd amlwg sy'n sirioli'r gwrychoedd a'r cloddiau yn yr hydref a'r gaeaf. Mae'r planhigyn hwn yn un sy'n nodweddu'r garreg galch yn ne Lloegr ac yn ymestyn i ogledd Cymru a chanolbarth Lloegr. Cafodd ei gyflwyno ymhellach i'r gogledd ac yma ac acw yn Iwerddon.

I	Ch	M	E	M	M
G	A	M	H	T	Rh

Pabi coch

Papaver rhoeas Common, neu Corn poppy

Planhigyn unflwydd, blewog, gyda choesyn â blew amlwg sy'n unionsyth neu'n esgynnol. Bydd y planhigyn weithiau'n ymddangos mewn niferoedd mawr gan baentio tir âr a chaeau ŷd, ochrau ffyrdd newydd, rhandiroedd a thir anial yn goch cyfoethog, yn arbennig ar dir calch yn ne a dwyrain Lloegr. Gall yr hadau aros yn y pridd am flynyddoedd, gan egino pan welant olau dydd. Roedd y pabi (a chwyn eraill) ar hyd maes y gad ar y Somme (ble roedd tir calch) a lleoedd eraill ar ôl 1916, gan ddod yn symbol o'r lladd. Bydd sudd gwyn yn dod o'r coesyn a'r dail pan gânt eu torri.

FFEIL FFEITHIAU

Taldra: 20-80cm.

Blodau: Unigol, ar goesyn hir, coch cyfoethog, simsan, 5-10cm ar draws; llawer o frigerau glas-ddu; mae'r 2 sepal yn disgyn.

Dail: Cyfansawdd, wedi eu rhannu i nifer o labedau danheddog.

Ffrwythau: Capsiwlau llyfn, bron yn sfferaidd 1-2cm o hyd, sy'n rhyddhau hadau o gylch o fandyllau – fel pupur allan o bot pupur.

Planhigion Tebyg: Mae gan y pabi hirben *(Papaver dubium)* gapsiwlau siâp pastwn hyd at 25mm o hyd a blodau sy'n goch goleuach. Mae gan ddau babi arall sy'n brinnach ffrwythau blewog.

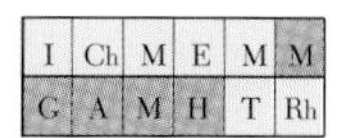

Pabi corniog melyn

Glaucium flavum Horned poppy

Planhigyn eilflwydd neu luosflwydd, lliw arian/llwyd, canghennog sy'n nodedig ac amlwg ar draethau graean bras a thywod yr arfordir. Pan dorrir y coesyn bydd sudd melyn yn diferu. Mae digonedd o'r planhigyn hardd hwn mewn rhai ardaloedd ac mae'n nodwedd arbennig o arfordir sy'n cael llonydd yn ystod yr haf, cyn belled i'r gogledd ag aberoedd y Gweryd a'r Clyde; mae'n fwy cyfyngedig yn Iwerddon. Yn ardal Môr y Canoldir mae i'w ganfod fel chwyn yn fwy i fewn yn y tir, ond anaml y digwydd hynny ym Mhrydain.

FFEIL FFEITHIAU

Taldra: 30-100cm.

Blodau: Unigol, melyn, simsan, 5-9 cm ar draws, gyda 4 petal a llawer o frigerau melyn; mae'r 2 sepal yn disgyn.

Dail: Arian/llwyd, blew garw, llabedau dwfn gydag ochrau danheddog; y dail uchaf yn cau am y coesyn.

Ffrwythau: Capsiwlau silindraidd, digamsyniol, llyfn, main, yn crymu, hyd at 30cm o hyd.

Planhigion Tebyg: Y pabi Cymreig *(Meconopsis cambrica)* a geir mewn lleoedd cysgodol yng ngorllewin Prydain ac Iwerddon, wedi dianc o'r ardd yng ngogledd Prydain; mae ganddo ddail gwyrdd a chapsiwlau sy'n 2-4cm o hyd.

Llysiau'r wennol

Chelidonium majus Greater celandine

Planhigyn lluosflwydd, cudynnog sy'n tyfu ar waliau, cloddiau a thir anial cysgodol. Er ei fod yn ymddangos yn gynhenid ar rai cloddiau creigiog mewn coedlannau, pur anaml y gwelir ef ymhell oddi wrth dai neu furddunod; mae'n gyfyngedig ac yn sicr wedi cael ei gyflwyno i'r Alban ac Iwerddon. Pan gaiff y coesyn a'r dail eu torri maent yn diferu sudd oren, chwerw, sydd wedi cael ei ddefnyddio i drin dafaden a hefyd, yn rhyfedd iawn, llygaid clwyfus. Mae llygad Ebrill (t. 37) yn blanhigyn cwbl wahanol er mai *'Lesser Celandine'* yw ei enw yn Saesneg.

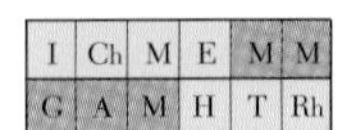

FFEIL FFEITHIAU

Taldra: 20-80cm.4

Blodau: Melyn, simsan, 20-25mm ar draws, gyda 4 petal a 2 sepal; 2-8 mewn clystyrau llac, cromennog; llawer o frigerau melyn.

Dail: Cyfansawdd, gyda 5-9 deiliosen sy'n bŵl ddanheddog, ychydig o wawr llwyd/wyrdd ar ochr isaf y dail.

Ffrwythau: Capsiwlau llyfn, silindraidd 3-5cm o hyd.

Planhigion Tebyg: Y pabi Cymreig *(Meconopsis cambrica)* a geir mewn lleoedd cysgodol yng ngorllewin Prydain ac Iwerddon, wedi dianc o'r ardd yng ngogledd Prydain; mae ganddo ddail gwyrdd a chapsiwlau sy'n 2-4 cm o hyd.

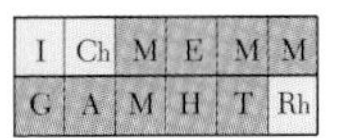

Yn blodeuo gydol gaeafau mwyn

Mwg y ddaear cyffredin

Fumaria officinalis Common fumitory

Planhigyn unflwydd, canghennog, di-flew, yn tyfu'n flêr neu'n dringo'n wannaidd. Fe'i ceir ar dir âr, ochrau ffyrdd newydd a thir anial. Mae teulu mwg y ddaear yn cynnwys rhyw ddwsin o rywogaethau tebyg sydd i gyd wedi'u cysylltu'n agos â thir âr neu dir wedi'i aflonyddu. Mae nifer o aelodau'r teulu'n brin ac mae dwy rywogaeth i'w cael ym Mhrydain ac Iwerddon yn unig, ac yn unlle arall drwy'r byd. Maen nhw'n perthyn i'r pabi (t. 42-43) ond mae ganddyn nhw flodau dwyochrog gymesur yn hytrach na blodau unigol sy'n rheiddiol gymesur.

FFEIL FFEITHIAU

Taldra: 1-100cm.

Blodau: Porffor/binc tua 10mm o hyd, 10-50 mewn sbigynnau 2-8cm o hyd.

Dail: Cyfansawdd, wedi'u rhannu'n ddwfn, llabedog ac yn edrych yn bluog, ychydig yn llwyd.

Ffrwythau: 1 hedyn mewn cneuen fechan sydd bron yn sfferaidd, 2-2.5mm ar draws.

Planhigion Tebyg: Aelodau eraill o'r teulu. Nid yw'r coesyn yn diferu sudd gwyn neu felyn fel rhai'r pabi.

I	Ch	M	E	M	M
G	A	M	H	T	Rh

Roced y berth

Sisymbrium officinale Hedge mustard

Planhigyn unflwydd, neu eilflwydd, yn fras wlanog gyda changhennau stiff sy'n lledaenu'n eang. Planhigyn cyffredin ar dir anial a chloddiau, hefyd yn yr ardd ac ar dir âr. Mae'n gyffredin drwy Brydain ac Iwerddon er yn brin yng ngogledd yr Alban. Mae'r planhigyn cyffredin, er nad yw'n ddeniadol iawn, yn hawdd i'w adnabod drwy'r clystyrau bychain o flodau melyn golau sydd ar ben draw y sbigynnau ffrwytho hir, cul. Fel y mwyafrif o aelodau teulu'r fresychen, mae ganddo flas fel mwstard ac yn chwerw.

FFEIL FFEITHIAU

Taldra: 20-100cm.

Blodau: Petalau 2-4mm, melyn golau; blodau mewn sbigynnau cul, sy'n ymestyn yn sylweddol wrth i'r ffrwythau ddatblygu.

Dail: Wedi eu torri'n ddwfn i labedau siâp gwaywffon, yr un ar y pen yn fwy ac yn siâp triongl.

Ffrwythau: Codau byr, sy'n meinhau hyd at 20mm o hyd, ac wedi eu gwasgu'n agos at y coesyn.

Planhigion Tebyg: Aelodau eraill o'r teulu gyda blodau melyn; mae'r lliw melyn golau yn nodedig.

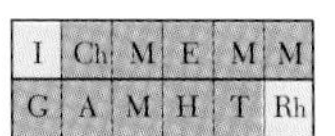

Yn blodeuo gydol gaeafau mwyn

Pwrs y bugail

Capsella bursa-pastoris Shepherd's purse

Planhigyn unflwydd, unionsyth, melfedaidd, canghennog gyda rosét o ddail wrth y bôn. Digonedd ohono ar dir âr a thir anial ac efallai y mwyaf cyffredin a'r mwyaf cyfarwydd o bob chwyn. Mae'n un o'r blodau cyntaf yn niwedd y gaeaf a dechrau'r gwanwyn, ynghyd â gwlydd y dom (t. 25), marddanhadlen goch (t. 154) a'r creulys (t. 215). Yn y gaeaf bydd ffwng gwyn yn ymosod ar y coesyn a'r codau ac yn eu gorchuddio a'u hystumio. Rhywogaeth amrywiol dros ben, yn arbennig ym maint y blodau a siâp y codau a'r dail.

FFEIL FFEITHIAU

Taldra: 5-60cm.

Blodau: 2-3mm ar draws, mewn sbigynnau hir, tenau, sy'n hwy na'r calycs gwyrdd neu binc.

Dail: Hirgrwn neu siâp gwaywffon, wedi'u torri'n ddwfn i labedau pigfain, yr un ar y pen yn fwy ac yn siâp triongl; ychydig o ddail ar ran uchaf y coesyn, siâp fel saeth yn gafael yn dynn am y coesyn.

Ffrwythau: Bychan, fflat, codau siâp triongl neu galon, pob un fel pwrs bychan.

Planhigion Tebyg: Mae blodau mwy crand gan godywasg y maes (t. 48) a ffrwythau sy'n llawer mwy ac yn grwn.

I	Ch	M	E	M	M
G	A	M	H	T	Rh

Codywasg y maes

Thlaspi arvense Field penny-cress

Planhigyn unflwydd, di-flew, ychydig ganghennau. Weithiau ceir digonedd ohono ar dir âr ac ochrau'r ffyrdd. Pan gaiff ei falu mae gan y planhigyn cyfan, ond yn arbennig y ffrwythau, arogl garlleg drewllyd. Mae'n gyffredin, os yn weddol gyfyngedig, ac i'w gael yn bennaf i'r de o linell rhwng yr Hafren a'r Wash; mae'n brin yn Iwerddon. Mae tair rhywogaeth o godywasg sy'n gynhenid i Brydain; mae'r mwyafrif o'r rhywogaethau Ewropeaidd yn blanhigion lluosflwydd sy'n tyfu ar greigiau yn y mynyddoedd, yn arbennig ar bridd sy'n gyfoethog mewn metelau fel plwm a sinc.

FFEIL FFEITHIAU

Taldra: 10-50cm.

Blodau: Petalau 2-3 mm, gwyn; blodau mewn clystyrau fflat, yn ymestyn fel mae'r ffrwythau'n datblygu.

Dail: Hirgrwn neu siâp gwaywffon, fymryn yn sgleiniog, gwyrdd golau; dail y coesyn yn lapio am y coesyn; siâp saeth wrth y bôn.

Ffrwythau: Fflat, bron yn grwn, yn fras adeiniog gyda codau wedi eu rhicio'n ddwfn hyd at 15mm o hyd.

Planhigion Tebyg: Mae gan bwrs y bugail (t. 47) flodau sy'n llawer llai a ffrwythau llawer llai siâp triongl neu galon.

Garlleg y berth

Alliaria petiolata
Garlic Mustard neu Jack-by-the-hedge

I	Ch	M	E	M	M
G	A	M	H	T	Rh

FFEIL FFEITHIAU

Taldra: 30-120cm.

Blodau: Petalau 2-3 mm, gwyn; blodau mewn clystyrau cromennog, yn ymestyn fel mae'r ffrwythau'n datblygu.

Dail: Coesyn hir, hirgrwn neu driongl, yn siâp calon wrth y bôn, yn ddwfn ddanheddog.

Ffrwythau: Fymryn ar 4 ongl, codau silindraidd 2-7cm o hyd, ar goesynnau sy'n ymledu, byr a stiff.

Planhigion Tebyg: Mae'r dail siâp calon a'r arogl garlleg yn nodweddu'r planhigyn hwn ac yn ffordd o'i wahaniaethu oddi wrth aelodau eraill o'r teulu sydd â blodau gwyn.

Planhigyn eilflwydd, nobl sydd bron yn ddi-flew, neu yn lluosflwydd byrhoedlog, ac yn arogli'n gryf o garlleg pan gaiff ei falu. Mae'n gyffredin yn y gwrychoedd, cloddiau cysgodol, ochrau coedlannau, mynwentydd a gerddi. Mae ei osgo stiff, unionsyth a'i flodau gwyn yn ei wneud yn rhwydd i'w adnabod ar ochrau'r ffyrdd yn ystod mis Mai. Mae'n un o hoff blanhigion boneddiges y wig a'r iâr wen wythiennog. Mae hwn a rhai rhywogaethau o godywasg yn nodedig am yr arogl garlleg sydd arnynt, sy'n anarferol mewn rhywogaethau nad ydynt yn aelodau o deulu'r nionyn.

Blodyn y fagwyr

Erysimum cheiri Wallflower

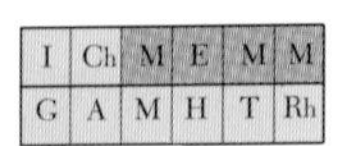

FFEIL FFEITHIAU

Taldra: 20-60cm.

Blodau: 20-25mm ar draws, arogl persawrus cyfoethog, petalau melyn neu weithiau oren gyda llinellau coch arnynt.

Dail: Cul, siâp gwaywffon, bron heb goesyn, wedi'u gorchuddio gan flew fflat, mân iawn.

Ffrwythau: Codau fymryn yn fflat, silindraidd, 2-8cm o hyd, ar goesyn byr, stiff, hanner unionsyth.

Planhigion Tebyg: Y murwyll lledlwyd *(Matthiola incana)* sydd hefyd wedi dianc o'r ardd, ac yn brin ar glogwyni uwchben y môr; mae ganddo ddail llwyd a blodau porffor.

Planhigyn eilflwydd neu luosflwydd, trwchus, sydd weithiau'n edrych fel llwyn. Mae'n llonni waliau, hen furddunj63
od, clogwyni, ochrau'r rheilffordd a chwarelydd. Nid yw'n gynhenid, ond mae wedi cychwyn o'r ardd ac yn bur debyg wedi datblygu drwy groesi gyda pherthynas agos o wlad Groeg. Mae wedi ymsefydlu mewn cynefinoedd creigiog yng ngorllewin Ewrop. Blodau melyn sydd gan y planhigyn yn y gwyllt fel rheol, ond yn yr ardd ceir sioe o wahanol liwiau. Mae garddwyr fel arfer yn eu tyfu fel planhigion eilflwydd gan eu troi heibio ar ôl

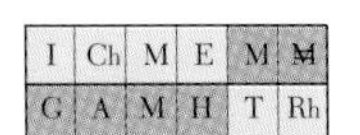

Mwstard gwyllt

Sinapis arvensis
Charlock neu Wild mustard

FFEIL FFEITHIAU

Taldra: 20-60cm.

Blodau: 14-18mm ar draws, aur felyn, mewn clystyrau tal, llac.

Dail: Siâp telyn fechan, llabedau anghyson ac yn ddanheddog flêr; y dail uchaf yn gul a danheddog.

Ffrwythau: Codau silindraidd hyd at 5cm o hyd, wedi eu gwasgu rhwng yr hadau, gyda phig conigol; hadau'n lliw coch/frown.

Planhigion Tebyg: Tyfir mwstard gwyn *(Sinapsis alba)* fel cnwd a bydd yn aros fel chwyn; mae ganddo ddail mwy rhanedig a chodau gyda phig mwy fflat; mae'n llai cyffredin.

Planhigyn unflwydd, gyda blew stiff a bras, fel arfer yn ganghennog, sydd i'w weld yn gyffredin ar dir anial a thir âr, yn arbennig ar bridd ysgafn. Gall yr hadau aros yn y pridd am ddegawdau ac yna'r planhigion yn ymddangos mewn niferoedd mawr ar dir sydd wedi'i droi. Mae chwynladdwyr modern yn rheoli hwn fel chwyn yng nghanol cnydau. Arferid ei goginio a'i fwyta fel llysieuyn yn ystod y gaeaf, ac mae'n dal i gael ei fwyta (yn ogystal ag aelodau eraill o deulu'r fresychen) yng ngwlad Groeg a mannau eraill.

Llwylys cyffredin neu Dail sgyrfi

Cochlearia officinalis Scurvy-grass

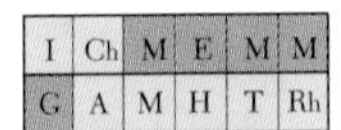

FFEIL FFEITHIAU

Taldra: 10-50cm.

Blodau: 6-10mm ar draws, gwyn neu weithiau'n lliw lelog gwan, persawrus, mewn clystyrau cromennog.

Dail: Siâp aren, neu bron yn grwn, noddlawn, gwyrdd tywyll.

Ffrwythau: Codau bychan, amgrwn, fel corcyn pan fydd yn aeddfed.

Planhigion Tebyg: Mae llwylys Denmarc *(Cochlearia danica)* yn blanhigyn unflwydd sy'n llai, yn aml gyda blodau lliw lelog a chodau siâp ŵy. Fe'i ceir ar dir agored wrth y môr, ac i fewn yn y tir wrth ochr rheilffyrdd; mae digonedd ohono ar ochrau'r ffyrdd.

Planhigyn eilflwydd, reit nobl, di-flew gyda choesyn unionsyth neu'n esgynnol, ar glogwyni a chreigiau'r arfordir, morfa heli, waliau, ochrau'r ffyrdd a chloddiau gerllaw'r môr. Mae gweld gwlâu mawr gwyn ohono yn y gwanwyn yn gyffredin mewn rhai ardaloedd, ond mae'n absennol o rannau o arfordir de Prydain. Mae'r dail yn gyfoethog mewn fitamin C, ac arferid bwyta'r rhain yn ystod y gaeaf ac er mwyn cadw'r sgyrfi draw. Rhywogaeth amrywiol iawn; cafwyd planhigion nodedig ar fynyddoedd Cymru, gogledd Prydain ac Iwerddon.

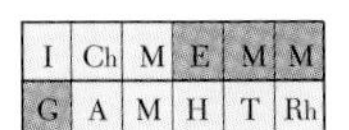

Blodyn llefrith neu Llaeth y gaseg

Cardamine pratensis Cuckooflower

Planhigyn lluosflwydd, unionsyth, cain sydd i'w weld ar dir corsiog, glaswelltir llaith a llwybrau'r goedwig, hefyd yng nghilfachau'r mynyddoedd a hyd yn oed ar lawntiau gwlyb. Ystyrir ef fel arwydd pur a synhwyrus o'r gwanwyn gan ei fod yn blodeuo yn ystod Ebrill a Mai pan fydd y gog yn canu ei deunod hyfryd (gweler *Herball*, John Gerard, 1597). Ambell dro gwelir amrywiad gyda blodyn dwbl yn y gwyllt, ac mae'r garddwyr yn hoff iawn o hwn.

FFEIL FFEITHIAU

Taldra: 20-40cm

Blodau: 1-2cm ar draws, lelog neu bron yn wyn, mewn clystyrau llac.

Dail: Yn daclus gyfansawdd, y deilios fymryn yn ddanheddog, yr un olaf yn fwy; dail y coesyn yn llai gyda llabedau culach.

Ffrwythau: Codau silindraidd, 2-4cm o hyd, ac yn ffrwydro i wasgaru'r had.

Planhigion Tebyg: Mae gan yr hegydd arfor *(Cakile maritima)* hefyd flodau lliw lelog neu wyn; mae'n blanhigyn unflwydd sy'n tyfu wrth y môr gyda dail noddlawn a ffrwythau byr, nobl iawn.

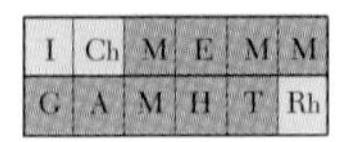

Berwr chwerw blewog

Cardamine hirsuta Hairy bitter-cress

Planhigyn unflwydd, unionsyth, heb fod yn arbennig o flewog, yn fach fel rheol. Fe'i ceir ar dir âr a thir anial, llwybrau a waliau, hefyd ar greigiau a thwyni tywod sy'n ddigon pell oddi wrth weithgarwch dyn. Mae'r codau yn ffrwydro i hollti'n agored ac mae hyn yn sicrhau gwasgariad da i'r had. Yn ei dro golyga hyn fod y planhigyn yn niwsans mewn gardd, meithrinfa a thŷ gwydr. Mae tair rhywogaeth arall o ferwr chwerw, ynghyd â llaeth y gaseg (t. 53), i'w cael ym Mhrydain a sawl un arall yn Ewrop.

FFEIL FFEITHIAU

Taldra: 5-25cm.

Blodau: 2-3mm ar draws, gwyn, mewn clystyrau canghennog; 4 briger.

Dail: Ar y cyfan mewn rosét wrth y bôn, cyfansawdd, gyda 1-5 pâr o ddeilios; dail y coesyn yn llai.

Ffrwythau: Codau unionsyth, silindraidd 18-25 mm o hyd, yn ffrwydro i wasgaru'r had.

Planhigion Tebyg: Mae berwr y fagwyr *(Arabidopsis thaliana)*, chwyn sy'n flewog a blodau gwyn ganddo, ac yn tyfu ar dir âr a waliau, yn feinach, gyda dail danheddog nad ydynt yn rhanedig a chodau cul iawn.

I	Ch	M	E	M	M
G	A	M	H	T	Rh

Berwr y dŵr

Nasturtium officinale Water cress

Planhigyn lluosflwydd, dyfrol, sy'n ymgripiol neu'n nofio ar wyneb y dŵr, canghennog, di-flew. Mae'n gwreiddio'n rhwydd mewn dŵr rhedegog, ac ar fwd agored. Yn Lloegr, cafodd y planhigyn ei gnydio mewn dŵr ffynnon pur ers y 19eg ganrif. Mae'r arogl siarp sydd arno yn nodweddiadol o aelodau teulu'r fresychen, ac yn tarddu o olewau mwstard. Fel y llwylys cyffredin (t. 52), roedd berwr dŵr unwaith yn cael ei ddefnyddio i atal y sgyrfi, gan ei fod yn blanhigyn sy'n aros yn wyrdd yn ystod y gaeaf pan fo planhigion ar gyfer salad yn brin.

FFEIL FFEITHIAU

Taldra: 10-50cm.

Blodau: 4-5mm ar draws, gwyn, yn ffurfio clystyrau llac; 6 briger.

Dail: Cyfansawdd gyda 1-4 pâr o ddeilios pŵl sydd fymryn yn ddanheddog.

Ffrwythau: Codau syth neu fymryn yn grwm, 12-18mm; llawer o hadau mewn 2 res.

Planhigion Tebyg: Y cynefin gwlyb yw'r ffordd i wahaniaethu rhwng hwn a blodau gwyn eraill o deulu'r fresychen; mae llaeth y gaseg (t. 53) hefyd i'w weld mewn corsydd gwlyb.

I	Ch	M	E	M	M
G	A	M	H	T	Rh

Melengu

Reseda luteola Weld

Planhigyn eilflwydd, unionsyth, ychydig ganghennog sy'n tyfu ar gloddiau sych, caeau braenar, ochrau'r ffyrdd, seidin y rheilffordd a thir anial, yn arbennig ar dir calchog; cyffredin, er yn fwy cyffredin yn y dwyrain ac yn brinnach yn yr Alban. Weithiau mae digonedd ohono ar ochrau ffyrdd newydd. Mae'r planhigyn wedi cael ei ddefnyddio ers talwm iawn fel ffynhonnell deunydd llifo gwyrdd a melyn, a chaiff ei dyfu mewn gerddi weithiau. Mae'r ffrwythau, a rhai y melengu wyllt ddi-sawr (t. 57), yn anarferol am nad ydyn nhw'n cau'n llawn, hyd yn oed cyn iddyn nhw fod yn aeddfed.

FFEIL FFEITHIAU

Taldra: 50-100cm.

Blodau: Melyn gwan, llawer, mewn sbigyn 10-30 cm; 4 petal 2-4mm o hyd, a 20-30 o frigerau.

Dail: Siâp strap, sgleiniog, gyda ochrau tonnog.

Ffrwythau: Capsiwlau sydd bron yn sfferaidd gyda hadau sgleiniog, du.

Planhigion Tebyg: Mae gan y melengu wyllt ddi-sawr (t. 57) ddail sydd wedi'u rhannu'n ddwfn, 6 petal a 12-20 briger.

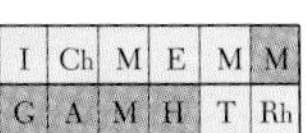

Melengu wyllt ddi-sawr

Reseda lutea Wild mignonette

Planhigyn unflwydd, eilflwydd neu luosflwydd, sy'n tyfu'n flêr ar dir sydd wedi ei droi, ochrau'r ffyrdd a thir anial, fel arfer ar bridd calchog, yn arbennig tir sialc. I'w weld yn anaml yn y gorllewin ac mae'n brin yn yr Alban; yn Iwerddon mae i'w weld yn bennaf ar yr ochr ddwyreiniol. Mae'r enw Saesneg yn tarddu o'i debygrwydd i'r melengu bêr (*Reseda odorate*) mewn gerddi'r bwthyn hen ffasiwn. Mae'r ffrwythau a rhai'r melengu (t. 56) yn anarferol am nad ydyn nhw'n cau'n llawn, hyd yn oed cyn iddyn nhw fod yn aeddfed.

FFEIL FFEITHIAU

Taldra: 30-80cm.

Blodau: Melyn gwan mewn sbigynnau 5-20cm; 6 petal, 3-4mm o hyd, a 12-20 briger.

Dail: Wedi'u rhannu'n ddwfn ac yn llabedog, gwyrdd golau.

Ffrwythau: Capsiwlau silindraidd gyda hadau sgleiniog, du.

Planhigion Tebyg: Mae gan y melengu (t. 56) ddail fel strap, 4 petal a 20-30 briger.

Gwlithlys

Drosera rotundifolia Round-leaved sundew

FFEIL FFEITHIAU

Taldra: 3-8cm.

Blodau: 5mm ar draws, gwyn, gyda 6 petal, mewn clystyrau bach ar ben coesyn main.

Dail: Y cyfan gyda choesyn mewn rosét wrth y bôn, cochlyd, bron yn grwn, yn llai na'r coesyn blodeuog; pob un wedi'i gorchuddio gan flew hir sydd â'u blaenau'n ludiog ac mae'r rhain yn dal ac yn plygu drosodd i dreulio mân bryfetach.

Ffrwythau: Capsiwlau bychan, llyfn.

Planhigion Tebyg: Mae gan y gwlithlys hirddail *(Drosera intermedia)* ddail hirgrwn cul. Mae'r gwlithlys mawr *(Drosera anglica)* yn fwy gyda dail hirgrwn, cul.

Planhigyn lluosflwydd, nodedig, bychan, cudynnog sydd gyda'r gallu hynod i ddal, treulio ac amsugno mân bryfetach i ychwanegu at y mwynau sydd ei angen arno. Planhigyn sy'n tyfu ar gorsydd asidig, yn arbennig yn y gogledd a'r gorllewin. Mae'n tyfu ar fawn llwm neu ar garpedi gwlybion o fwsogl, ac weithiau bydd cryn nifer i'w gweld. Addasiad gan y planhigyn yw dal pryfetach, fel mae tafod y gors (t. 183) wedi addasu i'r lefelau isel o fwynau. Mae'r planhigyn yn brin ar dir isel, ble mae dan fygythiad oherwydd fod y mawn yn cael ei dorri ar gyfer garddwriaeth.

I	Ch	M	E	M	M
G	A	M	H	T	Rh

Deilen gron

Umbilicus rupestris

Wall Pennywort neu Navelwort

Planhigyn lluosflwydd, noddlawn, di-flew, cudynnog, yn eithaf coediog wrth y bôn gyda choesyn nobl, unionsyth sy'n dal y blodau. Mae'n gyffredin mewn rhai mannau ar glogwyni'r arfordir, creigiau, waliau, cloddiau ac yn y gorllewin ar ganghennau a cheinciau'r coed. Planhigyn amlwg ac anarferol yr olwg, ac mae'n braf ei gyffwrdd. Mae i'w weld i'r gogledd cyn belled â Mull ac mae i'w gael yn bennaf yn y gorllewin, gan ei fod yn cael ei effeithio gan farrug.

FFEIL FFEITHIAU

Taldra: 10-80cm.

Blodau: Hyd at 1cm o hyd, fel tiwb bychan, gwyrdd/felyn neu'n gochlyd, yn hongian mewn clystyrau mewn sbigynnau hir, main.

Dail: Mewn rosét yn y bôn, coesyn hir, 3-8cm ar draws. Crwn yn pantio yn y canol, noddlawn iawn, di-flew; mae dail y coesyn yn siâp llwy neu letem.

Ffrwythau: Clystyrau o 5 sydd wedi ymdoddi i'w gilydd y tu fewn i'r blodyn parhaol.

Planhigion Tebyg: Mae gan y canewin *(Sedum telephium)*, sydd hefyd yn blanhigyn noddlawn, ddail danheddog, hirgrwn a phennau cromennog gyda blodau pinc neu wyn.

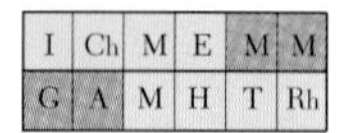

Briweg boeth

Sedum acre Biting stonecrop

Planhigyn lluosflwydd, noddlawn sy'n tyfu'n isel gyda choesyn unionsyth a blodau ar y coesyn. Ffurfia glystyrau eang ar dwyni tywod, traethau graean bras, waliau, balast rheilffyrdd ac ochrau'r ffyrdd. Yng nghanol haf, bydd y planhigyn hwn yn rhoi sioe o liw melyn ar seidin rheilffordd, traciau concrit, meysydd awyr a meysydd parcio na chant eu defnyddio bellach. Yn aml mae gwawr goch i'r dail oherwydd diffyg maeth yn y pridd. Enw arall arno yn Saesneg yw '*Welcome-home-husband-however-drunk-you-be*'!

FFEIL FFEITHIAU

Taldra: 10-80cm.

Blodau: Serennog, melyn llachar, 5 petal hyd at 10mm ar draws, mewn clystyrau ar y pen.

Dail: Noddlawn iawn, yn gul a siâp ŵy, blas pupur siarp.

Ffrwythau: Clystyrau o 5 sydd wedi ymdoddi i'w gilydd y tu fewn i'r blodyn parhaol.

Planhigion Tebyg: Aelodau eraill o deulu'r friweg, y rhan fwyaf wedi dianc o'r ardd.

Tormaen y gweunydd

Saxifraga granulata Meadow saxifrage

FFEIL FFEITHIAU

Taldra: 10-50cm.

Blodau: 15mm ar draws, gwyn, gyda 5 petal a sepalau gyda blew gludiog arnynt, mewn clystyrau bychain ar ben coesyn sydd bron heb ddail.

Dail: Ar y cyfan mewn rosét wrth y bôn, gyda choesyn, bron yn grwn, ag ochrau llabedog a blew hir.

Ffrwythau: Capsiwlau 2 labed, pob llabed gyda stigma parhaol tebyg i gorn.

Planhigion Tebyg: Mae'r tormaen tribys *(Saxifraga tridactylites)* yn blanhigyn unflwydd, llai, gyda 3-5 o ddail llabedog, sy'n tyfu ar waliau a glaswelltir sych; ceir aelodau eraill o'r teulu ar greigiau yn y mynyddoedd.

Planhigyn lluosflwydd, unionsyth, cain, gyda blew sydd braidd yn ludiog. Mae'n tyfu ar laswelltir ble mae draeniad da ar bridd calchog. Arferai fod yn fwy cyffredin cyn i ddulliau amaethu modern ddinistrio'r hen weirgloddiau, ond gellir ei weld o hyd yma ac acw ar gloddiau sych ac yn arbennig mewn mynwentydd yn y wlad. Mae i'w weld yn bennaf yn nwyrain a de Lloegr; mae'n brin yn yr Alban ac yn brin iawn yn Iwerddon. Mae bylbynnau bach tebyg i gloron yn tyfu wrth fôn y dail sy'n gadael i'r planhigyn atgenhedlu drwy lystyfiant yn ogystal â thrwy had.

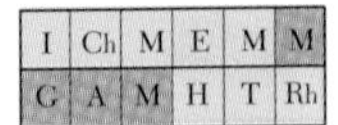

Brial y gors

Parnassia palustris Grass-of-Parnassus

Un o'n blodau gwyllt harddaf; planhigyn lluosflwydd, unionsyth, di-flew gyda sawl coesyn blodeuog. Fe'i gwelir ar gorsydd, rhostir gwlyb a lleoedd llaith mewn twyni tywod. Mae'n gyffredin mewn rhai ardaloedd, yn absennol o lawer o dde Lloegr, Cymru a de orllewin Iwerddon; does dim ohono ar ôl yng nghanolbarth Lloegr o ganlyniad i ddraenio'r tiroedd gwlyb. Dyma'r unig rywogaeth Ewropeaidd o grŵp o tua 15 o rywogaethau yn hemisffer y gogledd. Mae'r planhigion o'r twyni tywod yn fyrrach a chyda blodau mwy.

FFEIL FFEITHIAU

Taldra: 10-50cm.

Blodau: Unigol, gwyn gyda gwythiennau gwyrdd, 15-30mm ar draws, peraroglus, gyda 5 petal; 5 briger, hefyd 5 ffurfiant eddïog sy'n denu pryfetach.

Dail: Mewn rosét wrth y bôn, coesyn hir, siâp calon; 1 ddeilen sengl sy'n gafael am y coesyn.

Ffrwythau: Capsiwlau siâp ŵy 12-20mm o hyd, yn hollti'n 4 cylchran.

Planhigion Tebyg: : Mae'n annhebygol y gwneir ei gymysgu ag unrhyw blanhigyn arall.

I	Ch	M	E	M	M
G	A	M	H	T	Rh

Erwain neu Brenhines y weirglodd

Filipendula ulmaria Meadowsweet

FFEIL FFEITHIAU

Taldra: 50-120cm, weithiau hyd at 120cm.

Blodau: Hufennog wyn, 4-8mm ar draws, peraroglus, mewn clystyrau o flodigau canghennog, trwchus, ewynnog.

Dail: Cyfansawdd, gyda hyd at 5 pâr o ddeilios mawr, a deilios bach rhyngddynt, a deiliosen 3 i 5 llabed ar y pen, yn wyn a blewog dan y ddeilen.

Ffrwythau: Ychydig o hadau mewn clystyrau o 6-10.

Planhigion Tebyg: Mae gan y grogedau *(Filipendula vulgaris)*, sy'n tyfu ar laswelltir sych, calchog, ddail gyda 8-20 o barau o ddeilios a llai o flodau sydd tua 8-18mm ar draws.

Planhigyn lluosflwydd, unionsyth, deiliog, blewog gyda gwreiddgyff ymledol. Mae'n eithaf cyffredin ac yn aml ceir digonedd ohono ar laswelltir llaith, corsydd, ochrau nentydd ac mewn coedwigoedd gwlyb, agored. Yn yr haf, mae ei ben o flodigau ewynnog yn ei wneud yn un o'n blodau gwyllt mwyaf amlwg, yn arbennig yn y gorllewin. Yn yr oes o'r blaen arferid ei wasgaru ar loriau er mwyn rhoi gwell arogl yn y tŷ, er bod gan y blodau arogl sy'n tueddu i fod yn orfelys. Mae hefyd wedi cael ei ddefnyddio fel meddyginiaeth at drin crydcymalau ac arthritis.

I	Ch	M	E	M	M
G	A	M	H	T	Rh

Rhosyn gwyllt

Rosa canina Dog rose

Llwyn bwaog, a phigau crwm, mileinig, ar y coesyn. Mae'n ffefryn sy'n llonni'r gwrychoedd ym mis Mehefin gyda blodau pinc, hardd. Mae tua dwsin o rywogaethau sy'n perthyn yn agos i'w gilydd ym Mhrydain ac Iwerddon, y cyfan yn cael eu hadnabod fel rhosyn gwyllt, yn ogystal â sawl hybrid; mae sawl rhosyn gardd wedi dianc ac wedi croesi gyda'r rhosyn gwyllt cynhenid. Arferid defnyddio'r rhosyn gwyllt fel stoc ar gyfer impio rhosynnau'r ardd, ond erbyn hyn defnyddir rhywogaethau eraill. Mae'r ffrwythau, y mwcog, boch goch neu crawel bwci, yn gyfoethog mewn fitamin C.

FFEIL FFEITHIAU

Taldra: 1-3m.

Blodau: Amrywiol, lliwiau gwahanol o binc, 2-6cm ar draws, gyda 5 petal a sawl briger.

Dail: Cyfansawdd gyda 2-5 deilios gwyrdd, danheddog, hirgrwn.

Ffrwythau: Noddlawn, siâp fflasg neu bron yn amgrwn, coch neu oren golau, gyda gweddillion y blodau'n aros ar ben y ffrwyth.

Planhigion Tebyg: Mae'r rhosyn gwyllt gwyn *(Rosa arvensis)* yn tyfu hyd at 1m o uchder ac mae ganddo flodau gwyn; mae'r rhosyn bwrned *(Rosa pimpinellifolia)* sydd â blodau gwyn, llai, yn ffurfio clystyrau o goesynnau pigog ar dwyni tywod a rhostir.

I	Ch	M	E	M	M
G	A	M	H	T	Rh

Mwyar Duon

Rubus fruticosus Bramble neu Blackberry

Llwyn bwaog, pigog yn ffurfio drysfa o goesynnau ar lawr ac yn dringo dros wrychoedd a chloddiau. Cyffredin iawn, a gall fod yn chwyn mewn coedwigoedd a thir anial, er ei fod yn cynnig lloches a bwyd i nifer helaeth o adar ac anifeiliaid. Mae'r ffrwythau'n ffynhonnell hynod boblogaidd o fwyd sy'n rhad ac am ddim. Defnyddir y gwreiddiau ar gyfer lliwur oren i lifo deunyddiau. Mae'r dail yn cael eu defnyddio i drin clwyfau ac mewn te dail. Mae botanegwyr yn rhannu'r mwyar duon i gannoedd o feicrorywogaethau, ac mae llawer ohonynt yn gyfyngedig eu dosbarthiad.

FFEIL FFEITHIAU

Taldra: 1-4m, ond y rhan fwyaf yn ymlwybro.

Blodau: Gwyn, pinc neu borffor/binc, 2-3 cm ar draws, gyda 5 petal a llawer o frigerau.

Dail: 3 deiliosen hirgrwn, bras ddanheddog, gwyrdd ac yn oleuach ar ochr isaf y ddeilen.

Ffrwythau: Noddlawn, pen amgrwn, 1-2cm ar draws, o amffrwythau du gydag 1 hedyn ynddynt.

Planhigion Tebyg: Mae gan y llwyn mafon *(Rubus idaeus)* goesynnau unionsyth, deilios mewn parau a ffrwythau coch, meddalach.

I	Ch	M	E	M	M
G	A	M	H	T	Rh

Llysiau'r dryw

Agrimonia eupatoria Agrimony

Planhigyn lluosflwydd, unionsyth, gyda blew meddal sydd i'w weld ar ochrau'r ffyrdd, gwrychoedd, mewn prysgwydd, ochrau'r goedwig a glaswelltir uchel; yn amlwg ddiwedd yr haf. Mae'n gyffredin er yn brin yn yr Alban, yn enwedig yn y gogledd. Mae'r pigau fel bachau sydd ar y calycs parhaol yn golygu fod y ffrwythau aeddfed yn glynu'n fuan iawn wrth ffwr neu ddillad, ac felly mae'r had yn cael ei wasgaru. Ceir lliwur melyn gan y planhigyn ac mae wedi cael ei ddefnyddio mewn meddygaeth fel antiseptig ac fel tonic.

FFEIL FFEITHIAU

Taldra: 30-150cm.

Blodau: 6-8mm ar draws, gyda 5 petal melyn a 10-20 o frigerau, wedi eu casglu ar sbigyn hir.

Dail: Dail y bôn mewn rosét; dail cyfansawdd, gyda 6-8 pâr o ddeilios mawr 2 a 3 pâr o ddeilios llai, pob un yn llwyd flewog oddi tan y ddeilen.

Ffrwythau: Siâp côn ar ei ben fel top hen ffasiwn, rhigolog, a'i hanner wedi ei amgáu gan galycs fel cwpan sydd wedi ei orchuddio â bachau pigog.

Planhigion Tebyg: Mae sbigynnau tal, melyn y blodau a'r ffrwythau pigog yn nodedig.

I	Ch	M	E	M	M
G	A	M	H	T	Rh

Bwrned

Sanguisorba minor Salad burnet

Planhigyn lluosflwydd, unionsyth, di-flew neu fymryn yn felfedaidd, sy'n tyfu ar laswelltir sych, lleoedd creigiog a chlogwyni ar dir calch. Mae'n nodweddiadol o laswelltir sialc de Lloegr, ond mae i'w ganfod mor bell i'r gogledd â chanolbarth yr Alban. Peillir y blodau gan y gwynt yn hytrach na phryfetach, sy'n anarferol i deulu'r rhosyn. Mae planhigion mwy nobl, gyda ffrwythau mwy o faint a mwy crychiog, i'w gweld ar ochrau'r ffyrdd a glaswelltir sydd newydd ei hau. Roedd yn arfer bod yn gnwd porthiant, ond fe'i dosberthir gyda hadau gwyllt a werthir yn fasnachol erbyn hyn.

FFEIL FFEITHIAU

Taldra: 20-90cm.

Blodau: Gwyrdd, cochlyd neu borffor mewn pennau bach, amgrwn hyd at 1cm ar draws; daw galycs 4 llabed yn lle'r petalau.

Dail: Dail y bôn mewn rosét; dail gwyrdd/lwyd. Cyfansawdd, gyda 3-12 pâr o ddeilios hirgrwn, sydd ag ochrau amlwg ddanheddog.

Ffrwythau: 1 hedyn mewn calycs, crychiog, 4 ongl, parhaol, mewn clystyrau bach crwn.

Planhigion Tebyg: Mae'r bwrned mawr *(Sanguisorba officinalis)* yn blanhigyn mwy sydd â blodau coch, gyda phennau hirgul 1-3cm, sy'n tyfu mewn gweirgloddiau llaith.

I	Ch	M	E	M	M
G	A	M	H	T	Rh

Mapgoll

Geum urbanum Wood avens

Planhigyn lluosflwydd, unionsyth, canghennog, deiliog sy'n tyfu mewn coedwig agored, ochrau a llwybrau'r goedwig, gwrychoedd a gerddi cysgodol; mae'n gyffredin ond yn gyfyngedig yng ngogledd yr Alban. Peillir y blodau gan bryfed. Mae'r bachau hir sydd ar y ffrwythau yn dal mewn dillad neu ffwr ac felly gwasgerir yr had. Bydd y rhywogaeth yn croesi'n aml gyda mapgoll glan y dŵr (t. 69) yng ngorllewin a gogledd Prydain, gyda'r hybrid a'r ôl-groesiadau yn dangos nodweddion y ddau riant.

FFEIL FFEITHIAU

Taldra: 20-60cm.

Blodau: Siâp cwpan fâs, melyn, 10-15mm ar draws; calycs gwyrdd; nifer o frigerau.

Dail: Dail y bôn mewn rosét; dail cyfansawdd, gyda 1-5 pâr o ddeilios anghyfartal.

Ffrwythau: Clwstwr crwn o ffrwythau 1 hedyn blewog, pob un gyda stigma bachog, parhaol.

Planhigion Tebyg: Mae gan fapgoll glan y dŵr (t. 69) flodau pinc mwy, siâp cloch, sy'n siglo, ac sy'n tyfu mewn lleoedd llaith.

Mapgoll glan y dŵr

Geum rivale Water avens

I	Ch	M	E	M	M
G	A	M	H	T	Rh

Planhigyn lluosflwydd, unionsyth, canghennog, deiliog sy'n tyfu mewn coedwigoedd, gwrychoedd a lleoedd llaith a chysgodol. Mae'n gyffredin ond i'w weld yn amlach yng ngorllewin a gogledd Prydain; mae i'w weld yma ac acw yn Iwerddon. Peillir y blodau gan gacwn. Mae'r bachau hir sydd ar y ffrwythau yn dal mewn dillad neu ffwr ac felly gwasgerir yr had. Bydd y rhywogaeth yn croesi'n aml gyda'r mapgoll (t. 68) yng ngorllewin a gogledd Prydain, ac mae'r hybrid a'r ôl-groesiadau yn dangos nodweddion y ddau riant.

FFEIL FFEITHIAU

Taldra: 20-40cm.

Blodau: Pinc, yn siglo, 10-15mm o hyd, y calycs yn lliw brown/porffor; llawer o frigerau.

Dail: Dail y bôn mewn rosét; dail cyfansawdd, gyda 3-6 pâr o ddeilios anghyfartal.

Ffrwythau: Clwstwr crwn o ffrwythau, 1 hedyn, blewog, pob un gyda stigma bachog, parhaol.

Planhigion Tebyg: Mae gan y mapgoll (t. 68) flodau melyn, siâp cwpan sy'n llai, ac mae'n tyfu mewn lleoedd sychach.

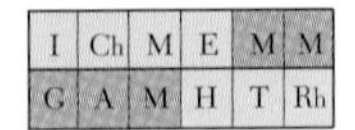

Dail arian

Potentilla anserina Silverweed

FFEIL FFEITHIAU

Taldra: 10-30cm.

Blodau: Aur felyn, unigol ar goesyn hir, 15-20mm ar draws, gyda 5 petal a llawer o frigerau.

Dail: Y dail i gyd mewn rosét wrth y bôn, yn gyfansawdd, gyda 7-25 o ddeilios hirgrwn neu hirgul, sy'n fras ddanheddog, blew arian ar yr ochr isaf.

Ffrwythau: Pen o achenau bach, crwn.

Planhigion Tebyg: Mae'r pumnalen ymlusgol *(Potentilla reptans)* yn blanhigyn meinach, mwy ymlusgol, gyda dail gwyrdd a deilios mewn grwpiau o bump.

Planhigyn lluosflwydd, llorweddol, blewog a gwawr arian arno gyda choesynnau coch sy'n ymledu ymhell ac yn gwreiddio, gan greu clystyrau mawr. Mae digonedd ohono mewn lleoedd glaswelltog, llaith, tir anial a glan y môr yn agos at y fan ble bydd y llanw uchaf yn ei gyrraedd. Arferid bwyta'r gwraidd noddlawn ers talwm, ac roeddent yn hanfodol yn ystod cyfnodau o newyn, yn arbennig yng ngogledd a gorllewin Prydain ac Iwerddon. Mae'r planhigyn wedi'i ddefnyddio fel llysieuyn llesol.

I	Ch	M	E	M	M
G	A	M	H	T	Rh

Tresgl y moch

Potentilla erecta Tormentil

FFEIL FFEITHIAU

Taldra: 10-40cm.

Blodau: Melyn, 8-18 mm ar draws, gyda 4 (yn bur anaml ceir 5) petal a sepal a llawer o frigerau.

Dail: Dail y bôn mewn rosét sy'n aml wedi crino erbyn i'r planhigyn flodeuo, gyda 3-5 deiliosen, siâp gwaywffon ac yn finiog ddanheddog.

Ffrwythau: Pen crwn o ffrwythau gyda 1 hedyn, di-flew, bychan iawn.

Planhigion Tebyg: Mae gan y pumnalen ymlusgol *(Potentilla reptans)* ymledyddion ymlusgol, gyda 5-7 deiliosen, a blodau 15-35mm ar draws gyda 4 petal.

Planhigyn lluosflwydd, cain gyda choesyn unionsyth gwan neu'n esgynnol, ymledol, main. Mae'n gyffredin mewn corsydd, glaswelltir llaith, coed bedw, gweunydd a rhostir, yn arbennig yn yr ucheldir ac ar y mynyddoedd. Mae ei bresenoldeb yn dangos fod y tir yn asidig, h.y. ychydig iawn o galch. Mae'r gwreiddiau, sydd braidd yn goediog, yn rhoi lliwur coch a ddefnyddid yn yr oes o'r blaen ar gyfer trin lledr. Bydd y planhigyn weithiau'n ffurfio hybrid rhyngol gyda pumnalen ymlusgol *(Potentilla reptans)*.

I	Ch	M	E	M	M
G	A	M	H	T	Rh

Llwyn coeg fefus

Potentilla sterilis Barren strawberry

Planhigyn lluosflwydd, cudynnog, blewog sy'n tyfu'n isel ar laswelltir sych, cloddiau, mynwentydd a choedwig agored. Mae'n un o'r planhigion cyntaf i flodeuo ddiwedd y gaeaf a dechrau'r gwanwyn. Mae'n gyffredin, er yn absennol o ogledd yr Alban ac fe'i cymysgir yn aml gyda'r mefus gwyllt (t. 73). Mae John Gerard yn ei *Herball* 1597 yn ei ddisgrifio fel hyn: *'a barren or chaffie head, in shape like a Strawberrie, but of no worth or value'!*

FFEIL FFEITHIAU

Taldra: 5-15cm.

Blodau: Gwyn, 10-15 mm ar draws, gyda 5 petal a sepal a chylch amlwg o neithdarennau oren; llawer o frigerau.

Dail: Dail ar y cyfan mewn rosét wrth y bôn, gyda 3 deiliosen llwyd/wyrdd, yn fras ddanheddog, hirgrwn.

Ffrwythau: Pen crwn o ffrwythau pitw bach gydag 1 hedyn.

Planhigion Tebyg: Mae gan y mefus gwyllt (t. 73) ddail gwyrdd iawn, ymledyddion hir a ffrwythau noddlawn coch; blodeua yn nechrau'r gwanwyn.

I	Ch	M	E	M	M
G	A	M	H	T	Rh

Mefus gwyllt

Fragaria vesca Wild strawberry

FFEIL FFEITHIAU

Taldra: 5-30cm.

Blodau: Gwyn, 10-18mm ar draws, gyda 5 petal a sepal a llawer o frigerau.

Dail: Dail ar y cyfan mewn rosét wrth y bôn, gyda 3 deiliosen werdd, yn fras ddanheddog, hirgrwn.

Ffrwythau: Pennau noddlawn, amgrwn, coch 10-15mm ar draws, gyda nifer o ffrwythau 1 hedyn arnynt.

Planhigion Tebyg: Mae gan y llwyn coeg fefus (t. 72) ddail llwyd/wyrdd, ymledyddion byrrach a ffrwythau sych, bychan iawn; mae'n blodeuo'n gynnar yn y gwanwyn.

Planhigyn lluosflwydd, gyda blew meddal ac ymledyddion cochlyd, main a hir. Mae'n blanhigyn cyffredin mewn coedwigoedd agored, prysgwydd, cloddiau sydd yn llygad yr haul a thir anial. Mae digonedd ohono lle mae llystyfiant yn ailgodi ar dir calchog ar ôl torri coed bedw. Nid yw bellach yn cael ei gasglu ar gyfer y farchnad, ond mae'r ffrwythau melys yn dal yn boblogaidd yng nghefn gwlad. Mae'r mefus gardd (*Fragaria ananassa*), sy'n llawer mwy, yn tarddu o groesiad rhwng dau rywogaeth a feithrinwyd yn y Byd Newydd.

I	Ch	M	E	M	M
G	A	M	H	T	Rh

Yn blodeuo gydol gaeafau mwyn.

Eithin

Ulex europaeus Gorze neu Furze

Llwyn blewog, trwchus, pigog sy'n ffurfio dryslwyni ar rostir, clogwyni a glaswelltiroedd bras. Fe'i gwelir hefyd ar reilffyrdd neu dir diwydiannol segur. Yn y gwanwyn gall y blodau daenu eu harogl ar yr awel ac ar ddiwrnod poeth yn yr haf gellir clywed y codau'n ffrwydro'n agored gyda 'pop!' nodweddiadol. Ers talwm arferid torri'r eithin fel ffynhonnell bwysig o danwydd am ei fod yn ddelfrydol ar gyfer cynnau tân. Roedd hefyd yn bwysig fel bwyd i anifeiliaid. Mae'r dywediad "pan fo'r eithin yn ei flodau, mae'n amser cusanu" yn cyfeirio at y ffaith fod gan yr eithin ambell i flodyn sy'n dal ar agor drwy'r gaeaf!

FFEIL FFEITHIAU

Taldra: 50-300cm.

Blodau: Aur felyn, arogl fanila trwm, 15-20mm o hyd, mewn clystyrau byr, trwchus.

Dail: Ar blanhigyn ifanc, 3 deiliosen siâp gwaywffon neu'n hirgrwn a chul; ar blanhigyn aeddfed, pigau yn unig.

Ffrwythau: Codau fflat 15-20mm, du, blewog.

Planhigion Tebyg: Does dim pigau gan y banadl (t. 75) ac mae ganddo godau hwy gyda llai o flew. Mae'r eithin mân *(Ulex galli)* yn llai ac yn blodeuo ddiwedd yr haf.

I	Ch	M	E	M	M
G	A	M	H	T	Rh

Banadl

Cytisus scoparius Broom

Llwyn unionsyth, y coesyn gyda 5 ongl ac yn ymddangos fel petai heb ddail. Planhigyn cyffredin mewn rhai mannau, i'w weld mewn coedlannau agored, rhostir, clogwyni, traethau graean bras, cloddiau sych a thraciau rheilffyrdd segur. Arferai'r blaenau fod yn bwysig fel bwyd a'r coesyn fel gwasarn. Roedd y banadl a'r eithin (t. 74) yn rhan o economi wledig y rhostir, cynefin sy'n eithaf nodweddiadol o sawl rhan o Brydain. Yn ôl chwedl Math fab Mathonwy ym mhedwaredd gainc y Mabinogi, blodau'r banadl oedd un o'r blodau a ddefnyddiwyd gan Gwydion wrth lunio Blodeuwedd.

FFEIL FFEITHIAU

Taldra: 1-3m.

Blodau: Aur felyn, 15-25mm o hyd, mewn clystyrau byr, trwchus.

Dail: Ar flagur ifanc yn unig, pob un gyda 3 deiliosen siâp gwaywffon neu'n hirgrwn a chul gyda blew sidanaidd.

Ffrwythau: Codau fflat, 25-40mm o hyd, blewog ar yr ochrau.

Planhigion Tebyg: Mae'r eithin (t. 74) yn bigog, gyda chodau byrrach. Mae banadl Sbaen *(Spartium junceum)*, wedi dianc o'r gerddi i ochrau'r rheilffyrdd, ac mae ganddo flodau mwy mewn clystyrau hir, llac.

Pys llygod neu Ffacbys y berth

Vicia cracca Tufted vetch

I	Ch	M	E	M	M
G	A	M	H	T	Rh

Planhigyn lluosflwydd, braidd yn flewog, yn ymledu drwy dendril, mewn lleoedd glaswelltog a llwyni, yn arbennig mewn gwrychoedd, prysgwydd ac ochrau'r goedwig, a hen weirgloddiau. Mae'r blodyn haf trawiadol hwn yn un o'r rhai mwyaf cyfarwydd o'r ffacbys cynhenid. Anaml y gwelir ef yn y gweirgloddiau erbyn heddiw oherwydd dulliau modern o amaethu. Mae rhai planhigion yn flewog iawn. Mae ffacbys y berth yn perthyn i grŵp o bum rhywogaeth Ewropeaidd sy'n perthyn yn agos i'w gilydd a gall gwahaniaethu rhyngddynt fod yn anodd.

FFEIL FFEITHIAU

Taldra: 50-200cm.

Blodau: Glas/borffor, 8-15mm o hyd mewn clystyrau o tua 10-40, un ochrog, trwchus ar ben coesyn hir.

Dail: Cyfansawdd, gyda 6-15 pâr o ddeilios hirgul neu'n hirgrwn a chul, a tendril byr, canghennog ar y pen.

Ffrwythau: Codau fflat, brown, di-flew tua 10-22mm o hyd.

Planhigion Tebyg: Ffacbys eraill, ond fe'i nodweddir gan y clwstwr mawr o flodau glas/borffor.

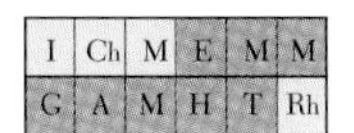

I	Ch	M	E	M	M
G	A	M	H	T	Rh

Ffacbys y cloddiau

Vicia sepium Bush vetch

Planhigyn lluosflwydd, melfedaidd, ymledol, sydd yn ymlwybro neu'n dringo. Planhigyn cyffredin sydd i'w weld ar ochrau'r ffyrdd, gwrychoedd, prysgwydd a choedlannau agored. Mae'r planhigyn yn lledaenu drwy ymledyddion dan wyneb y pridd i ffurfio clystyrau mawr. Mae golwg dlodaidd, fel petaent wedi gwywo rhyw ychydig, ar y blodau o'u cymharu â lliwiau llachar ein ffacbys cynhenid eraill. Mae corblanhigyn nodedig, gydag ychydig neu ddim tendrilau, i'w weld yma ac acw ar dwyni tywod mewn rhannau anghysbell o ogledd a gorllewin yr Alban a gogledd-orllewin Iwerddon.

FFEIL FFEITHIAU

Taldra: 20-100cm.

Blodau: Blodau glas/ borffor golau, lelog neu hufen ambell waith, 10-15mm o hyd, mewn clystyrau o 2-6 ar ben coesyn byr.

Dail: Cyfansawdd, gyda 3-9 pâr o ddeilios hirgul neu'n hirgrwn a chul, a tendril canghennog ar y pen.

Ffrwythau: Codau fflat, du, gyda phig, di-flew, 20-35mm o hyd.

Planhigion Tebyg: Ffacbys eraill, ond fe'i nodweddir gan y clwstwr bach o flodau glas/ borffor pŵl.

I	Ch	M	E	M	M
G	A	M	H	T	Rh

Ffacbys

Vicia sativa Common vetch

Planhigyn lluosflwydd, blewog, sy'n dringo neu'n disgyn, yn aml yn edrych yn daclus o'i gymharu â'r ffacbys eraill. Tyf mewn mannau glaswelltog, ochrau'r caeau, ochrau'r ffyrdd a chloddiau; mewn sawl man mae'n dangos ble bu'n cael ei dyfu fel cnwd ar gyfer porthiant. Rhywogaeth amrywiol iawn sydd wedi ei rhannu gan fotanegwyr i sawl isrywogaeth. Mae'r amrywiaethau'n adlewyrchu'n rhannol ei hanes hir fel cnwd, gyda llawer o hadau yn dod o dramor. Mae'n bur debyg fod y planhigion gyda blodau pinc llachar a deilios cul yn rhai cynhenid.

FFEIL FFEITHIAU

Taldra: 20-120cm.

Blodau: Pinc llachar, porffor/rhuddgoch neu borffor, 10-15mm o hyd, dim coesyn, yn unigol neu mewn parau.

Dail: Cyfansawdd, gyda 3-8 pâr o ddeilios hirgul neu'n hirgrwn a chul iawn nes eu bod bron yn siâp calon, a tendril canghennog ar y pen.

Ffrwythau: Codau du neu felyn/ frown, di-flew neu wlanog 25-70mm o hyd.

Planhigion Tebyg: Ffacbys eraill, ond fe'i nodweddir gan y cyfuniad o dendril/ deilen a blodau pinc unigol neu mewn parau.

Ytbys y ddôl

Lathyrus pratensis
Meadow vetchling neu Yellow vetchling

I	Ch	M	E	M	M
G	A	M	H	T	Rh

FFEIL FFEITHIAU

Taldra: 30-120cm.

Blodau: Melyn, 12-20mm o hyd, mewn clystyrau o 5-12 ar ben coesyn hir, unionsyth.

Dail: Mewn parau, siâp gwaywffon, mae'r deilios cyfan hyd at 5cm o hyd, gyda phâr o ffurfiannau mawr, tebyg i ddeilios yn y bôn a tendril canghennog ar y pen.

Ffrwythau: Codau du, di-flew 2-4cm o hyd.

Planhigion Tebyg: Nid oes gan droed yr iâr (t. 86) dendriliau; mae gan y planhigyn bum deiliosen a blodau sy'n llai ac yn aml â gwawr oren arnynt.

Planhigyn lluosflwydd, sy'n dringo neu'n ymledu, ac yn codi o wreiddgyff tenau, gyda choesyn onglog, sgwâr, ag ychydig o adain, sydd braidd yn wan ac yn ddeiliog. Yn gyffredin ac amlwg mewn mannau glaswelltog, corsydd, cloddiau, prysgwydd ac ochrau coedlannau. Mae'n gyffredin ac yn un o'r blodau gwyllt mwyaf cyfarwydd a thlws o holl flodau gwyllt y glaswelltir. Dyma'r prif blanhigyn sy'n fwyd i lindys Iâr Wen y Coed. Mae trwyth o'r planhigyn wedi'i ddefnyddio at beswch a broncitis.

I	Ch	M	E	M	M
G	A	M	H	T	Rh

Yr wydro dal

Melilotus altissimus
Tall Melilot neu Golden melilot

Planhigyn unflwydd, eilflwydd neu luosflwydd byrhoedlog, unionsyth, canghennog, cyhyrog. Mae'n gyffredin ar dir anial, ochrau caeau a thir âr. Mae'n tueddu i hoffi pridd trwm. Gall fod yn gynhenid, ond cafodd ei ledaenu fel cnwd porthiant drwy ddulliau amaethyddol. Mae hefyd wedi cael ei ddefnyddio fel meddyginiaeth ac mae'n bosibl iddo gael ei gyflwyno yma gan fotanegwyr yn ymdrin â llysiau llesol yn ystod y 16eg ganrif. Mae'n brin yn yr Alban a dim ond wrth yr arfordir ger Dulyn a Wicklow y gwelir ef yn Iwerddon.

FFEIL FFEITHIAU

Taldra: 50-150cm.

Blodau: Melyn, 5-7mm o hyd, mewn clystyrau llac, 1 ochrog gyda nifer o flodau; mae'r petalau i gyd yr un hyd.

Dail: 3 deiliosen, siâp lletem neu hirgrwn, danheddog.

Ffrwythau: Codau du, gyda blew byr, 3-5mm o hyd.

Planhigion Tebyg: Mae'r wydro resog *(Melilotus officinalis)* yn aml yn dalach, gyda'r 3 petal uchaf yn hwy na'r pâr isaf, a'r ffrwyth yn frown a di-flew. Mae gan yr wydro wen *(Melilotus alba)* flodau gwyn.

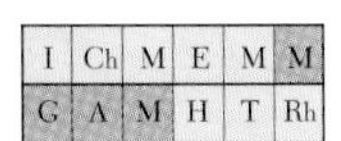

I	Ch	M	E	M	M
G	A	M	H	T	Rh

Tagaradr

Ononis repens Common restharrow

Planhigyn lluosflwydd, gyda blew gludiog, sy'n lledaenu ac yn ffurfio clystyrau mewn glaswelltir sych ac ar dwyni tywod, traethau graean bras a chynefinoedd eraill ar bridd calchog sydd â draeniad da. Mae'n blanhigyn cyffredin, er yn llai cyffredin yn y rhan fwyaf o'r Alban a gorllewin Iwerddon. Weithiau bydd gan y planhigyn ychydig o bigau meddal. Roedd y gwreiddiau gwydn yn niwsans i ffermwyr cyn iddynt allu troi'r tir gyda pheiriannau. Dywedir fod y dail yn llygru llaeth y gwartheg oedd yn bwydo ar y planhigyn.

FFEIL FFEITHIAU

Taldra: 10-70cm.

Blodau: Porffor/pinc, 15-20mm o hyd, mewn clystyrau llac, deiliog.

Dail: 1 neu 3 deiliosen, siâp lletem neu hirgrwn, danheddog, blew gludiog trwchus.

Ffrwythau: Codau 5-7mm o hyd, o fewn y calycs.

Planhigion Tebyg: Mae'r tagaradr pigog *(Ononis spinosa)* yn fwy unionsyth a phigog; mae'n llawer llai cyffredin ac nis gwelir yn Iwerddon.

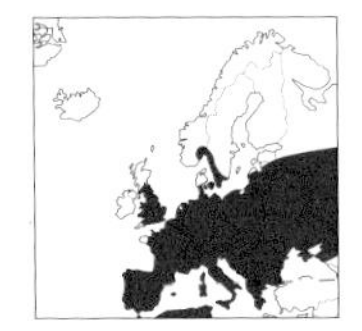

I	Ch	M	E	M	M
G	A	M	H	T	Rh

FFEIL FFEITHIAU

Taldra: 5-60cm.

Blodau: Pitw, aur felyn, hyd at 50 mewn pennau sfferaidd 3-9mm ar draws, ar goesyn hir.

Dail: 3 deiliosen, hirgrwn neu bron yn grwn, yr un blaen yn bŵl a rhiciog, yr un canol ar goesyn.

Ffrwythau: Codau 2-3mm o hyd, 1 hedyn, siâp aren, du.

Planhigion Tebyg: Mae'r codau du yn nodedig; mae'r meillion hopysaidd bach (t. 83) yn blanhigyn meinach, di-flew gyda'r petalau yn para yn y ffrwyth.

Maglys du

Medicago lupulina Black medick

Planhigyn unflwydd, braidd yn flewog, weithiau fymryn yn ludiog flewog, llorweddol neu ychydig yn unionsyth, neu'n blanhigyn lluosflwydd, byrhoedlog. Mae i'w weld ar laswelltir sych, cloddiau heulog, waliau, ochrau'r ffyrdd, clogwyni'r arfordir a thwyni tywod. Mae'n gyffredin, er yn prinhau, yn yr Alban. Mae'r planhigion sy'n tyfu ar dir anial a chaeau'n gryfach ac yn fwy unionsyth; mae'n bosibl eu bod yn hannu o gnwd porthiant neu o hadau blodau gwyllt nad ydynt yn gynhenid. Mae'n aml yn cael ei gymysgu gyda'r tair rhywogaeth o feillion cynhenid sydd â blodau melyn.

I	Ch	M	E	M	M
G	A	M	H	T	Rh

Meillion hopysaidd bach

Trifolium dubium

Lesser trefoil neu Suckling clover

Planhigyn unflwydd, llorweddol neu esgynnol sy'n tyfu ar laswelltir sych, twyni tywod, muriau, tir creigiog ac weithiau tir âr. Dyma'r mwyaf cyffredin o sawl meillionen unflwydd, cynhenid, a'r cyfan yn blanhigion sy'n tyfu ar laswelltir sych, agored yn aml ger y môr. Mae'n well ganddo bridd â draeniad da ac mewn hen laswelltir mae'n aml yn tyfu ar dwmpath morgrug. Y planhigyn hwn, mae'n bur debyg, yw *Seamróge* go iawn Iwerddon (gweler suran y coed, t. 89) a chaiff ei werthu ar gyfer Gŵyl Sant Padrig ar 17eg Mawrth.

FFEIL FFEITHIAU

Taldra: 10-30cm, weithiau hyd at 50cm.

Blodau: Pitw, melyn, 10-20 mewn pennau sfferaidd 7-9mm ar draws, ar goesyn hir.

Dail: 3 deiliosen, hirgrwn, danheddog, yr un ganol ar goesyn.

Ffrwythau: Pitw, anamlwg disylw, codau 1 hedyn yn amgaeëdig yn y corola parhaol.

Planhigion Tebyg: Mae'r maglys du (t. 82) yn blanhigyn mwy nobl, mwy blewog gyda phennau mwy trwchus a ffrwythau du, amlwg; nid yw'r petalau'n aros yn y ffrwyth.

I	Ch	M	E	M	M
G	A	M	H	T	Rh

Meillionen goch

Trifolium pratense Red clover

Planhigyn lluosflwydd byrhoedlog, braidd yn flewog, cudynnog, blerdwf, esgynnol neu unionsyth sy'n tyfu ar laswelltir, ochrau'r ffyrdd a thir anial drwy Brydain ac Iwerddon. Rhywogaeth amrywiol. Mae llawer o'r planhigion wedi cyrraedd drwy gnydau porthiant neu hadau blodau gwyllt; mae rhain yn fwy nobl, talach ac unionsyth ac yn aml gyda phennau o flodau pinc gwelw, tra mae'r planhigyn cynhenid yn fwy llorweddol gyda phennau llai o flodau sydd fel rheol yn goch cyfoethog neu goch/porffor. Mae cacwn yn hoff iawn o ymweld â'r blodau.

FFEIL FFEITHIAU

Taldra: 20-60cm, weithiau hyd at 100cm.

Blodau: pinc golau neu dywyll, neu coch/porffor, yn anaml yn wyn, 12-15 mm o hyd, mewn pennau sydd bron yn sfferaidd unigol neu yn bâr trwchus 2-4 cm o hyd, gyda 2 ddeilen yn union danynt.

Dail: 3 deiliosen hirgrwn, neu bron yn grwn, blewog dan y ddeilen, yn aml gyda marc fel cilgant gwyn.

Ffrwythau: Anamlwg disylw, codau 1 hedyn yn amgaeëdig yn y corola parhaol; pen o flodau brown wedi gwywo yw'r ffrwyth.

Planhigion Tebyg: Y feillionen goch fwyaf cyffredin.

I	Ch	M	E	M	M
G	A	M	H	T	Rh

Meillionen wen

Trifolium repens
White clover neu Dutch clover

Planhigyn lluosflwydd, ymledol, gyda choesynnau llorweddol sy'n bwrw gwreiddiau, ac yn ffurfio lleiniau mawr ar lawntiau, glaswelltir, ochrau'r ffyrdd a thir anial drwy Brydain ac Iwerddon. Rhywogaeth amrywiol, gyda'r mwyafrif o blanhigion erbyn hyn wedi deillio o stoc a dyfwyd fel cnwd. Mae'r feillionen wen o werth economaidd sylweddol fel cnwd porthiant ac yn ffynhonnell neithdar i wenyn. Mae bacteria mewn nodau ar y gwreiddiau'n troi'r nitrogen yn yr aer yn faetholion defnyddiol i'r planhigyn. Mae math arbennig gyda blodau porffor yn tyfu ar Ynysoedd Sili.

FFEIL FFEITHIAU

Taldra: 20-50cm.

Blodau: Peraroglus, gwyn, yn aml gyda gwawr binc, 8-13mm o hyd, mewn pennau sfferaidd, trwchus, unigol, ar goesyn hir, y pennau sfferaidd yn 1-3cm ar draws.

Dail: Ar goesyn hir; 3 deiliosen hirgrwn, neu bron yn grwn, yn aml gyda marc V gwyn neu farciau tywyll.

Ffrwythau: Anamlwg disylw, 1-4 hedyn yn y codau yn amgaeëdig yn y corola parhaol; pen o flodau brown wedi gwywo yw'r ffrwyth.

Planhigion Tebyg: Y feillionen wen sy'n gyffredin mewn glaswelltir ym Mhrydain ac Iwerddon.

Troed yr iâr neu Pys y ceirw

Lotus corniculatus Bird's-foot trefoil

I	Ch	M	E	M	M
G	A	M	H	T	Rh

FFEIL FFEITHIAU

Taldra: 5-50cm.

Blodau: Melyn, yn aml gyda llinellau oren neu goch, 10-18mm o hyd, 3-8 mewn clwstwr ar ben coesyn hir.

Dail: Pob un gyda 5 deiliosen sydd â siâp gwaywffon neu bron yn grwn.

Ffrwythau: Codau silindraidd 10-15 mm o hyd, yn edrych fel troed iâr.

Planhigion Tebyg: Mae troed yr iâr fwyaf *(Lotus uliginosus)* yn fwy o faint ac yn fwy blewog, gyda dannedd calycs yn y blaguryn yn ymestyn ar ongl sgwâr. Mae ytbys y ddôl (t. 79) gyda thendriliau a blodau mwy sy'n felyn i gyd.

Planhigyn lluosflwydd, llorweddol, ymledol neu unionsyth sy'n ffurfio clystyrau. Mae'n gyffredin mewn glaswelltir sych ac ar gloddiau sydd yn llygad yr haul, clogwyni, creigiau a thwyni tywod, a lawntiau hyd yn oed, drwy Brydain ac Iwerddon. Tyf ar bridd sydd wedi'i ddraenio'n dda, yn arbennig pridd sydd wedi deillio o dwyni tywod neu sy'n dir calch. Ar ochrau'r ffyrdd ac mewn ambell i le arall, tyf yn blanhigyn cadarnach, mwy unionsyth – dyma'r troed yr iâr a ddefnyddiwyd fel porthiant. Nid yw'n rhywogaeth gynhenid – cyrhaeddodd mewn pacedi hadau blodau gwyllt. Mae'n fwyd i lindys glöynnod byw gan gynnwys y glesyn.

I	Ch	M	E	M	M
G	A	M	H	T	Rh

Plucen felen

Anthyllis vulneraria Kidney vetch

Planhigyn eilflwydd, tlws, llorweddol, esgynnol neu'n unionsyth, neu yn blanhigyn lluosflwydd byrhoedlog sy'n tyfu ar laswelltir a thir creigiog, yn arbennig clogwyni'r arfordir a thwyni tywod ac ar bridd sych, calchog ymhellach oddi wrth y môr. Weithiau mae cloddiau sych ger y môr wedi'u gorchuddio gan y planhigyn hwn, ac mewn ambell ardal fel Cork a Chernyw, gall lliw y blodau amrywio o felyn i hufen, pinc, coch a phorffor. Mae'r planhigion tal welir ar ochrau'r ffyrdd fel arfer yn codi o'r hadau blodau gwyllt sydd wedi eu mewnforio o ganolbarth Ewrop.

FFEIL FFEITHIAU

Taldra: 10-50cm.
Blodau: Melyn fel rheol, 12-15mm o hyd, mewn pennau trwchus, sydd mewn parau 2-4cm ar draws, gyda 2 fract wedi'u rhannu'n ddwfn yn union o dan y blodyn; y calycs wedi chwyddo, blewog, gyda blaen coch fel arfer.
Dail: 3-9 deiliosen, hirgrwn neu hirgul, blew sidanaidd o dan y ddeilen, yr un ar y pen yn fwy, yn arbennig ar y dail isaf.
Ffrwythau: Codau siâp ŵy wedi'u fflatio, 1 hedyn ym mhob un, oddi fewn i galycs parhaol.
Planhigion Tebyg: Mae'r 2 fract wedi'u rhannu'n ddwfn yn union o dan y pâr o flodau yn ffordd o wahaniaethu'r planhigyn hwn oddi wrth aelodau eraill o'r teulu.

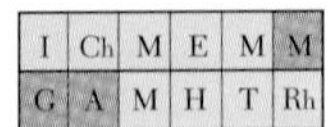

I	Ch	M	E	M	M
G	A	M	H	T	Rh

Y godog

Onobrychis viciifola Sainfoin

Planhigyn lluosflwydd, sy'n codi o wraidd coediog, ac sy'n ffurfio clwstwr; yn gyffredin mewn rhai mannau ar laswelltir calchog ac ar ochrau'r ffyrdd. Mae'n un o'r planhigion gwyllt sy'n gynhenid ar y garreg galch yn ne Lloegr, a cheir cyfeiriad ato yn *Herball* John Gerard yn 1597. Mae'n bosibl fod y planhigyn a welir heddiw wedi hanu o'i ddefnydd blaenorol fel cnwd porthiant; mae'n awr yn un o'r prif gynhwysion mewn hadau blodau gwyllt. Nid yw'n tyfu yn Iwerddon.

FFEIL FFEITHIAU

Taldra: 20-100cm.

Blodau: Pinc cyfoethog, gyda gwythiennau porffor, 10-14mm o hyd, mewn sbigynnau hir, trwchus hyd at 9cm o hyd.

Dail: Cyfansawdd, gyda 6-14 pâr o ddeilios hirgrwn neu hirgul.

Ffrwythau: Codau 1 hedyn, danheddog, hirgrwn, fflat, gwythiennau amlwg, 5-8mm o hyd.

Planhigion Tebyg: Mae gan y meillion coch ddail gyda 3 deiliosen, a phennau blodau siâp ŵy neu sfferaidd, a ffrwythau disylw.

I	Ch	M	E	M	M
G	A	M	H	T	Rh

Suran y coed

Oxalis acetosella Wood sorrel

Planhigyn lluosflwydd, cain, eiddil, di-flew gyda gwreiddgyff ymledol sydd wedi'i orchuddio yng ngweddillion bôn y dail ac yn edrych fel cen. Mae'n gyffredin mewn coedydd llaith, cysgodol ac ar gilfachau'r mynyddoedd. Mae gan y dail flas asid siarp ac arferid eu defnyddio er mwyn rhoi blas fel rhai suran y cŵn (t. 17). Mae rhai yn honni mai hwn oedd y *Seamróge* a ddefnyddiodd Sant Padrig i ddangos y cysyniad o'r Drindod Sanctaidd i baganiaid yr Ynys Werdd, ond mae'n fwy tebygol mai'r meillion hopysaidd bach (t. 83) a ddefnyddiodd.

FFEIL FFEITHIAU

Taldra: 10-20cm.

Blodau: Unigol ar goesyn sydd bron heb ddail, siâp cloch yn siglo, 8-15mm o hyd, gwyn gyda gwythiennau lliw lelog neu weithiau'n lelog i gyd.

Dail: Coesyn hir, eiddil, gwyrdd golau, yn aml yn borffor ar ochr isaf y ddeilen; 3 deiliosen, siâp calon, rhiciog.

Ffrwythau: Capsiwlau siâp ŵy, 5 ongl, yn ffrwydro pan mae'n amser gwasgaru'r had.

Planhigion Tebyg: Mae gan y suran ruddgoch *(Oxalis articulata)* glystyrau o flodau pinc llachar; fe'i gwelir ar ochrau'r ffyrdd a thir anial, wedi dianc o'r ardd.

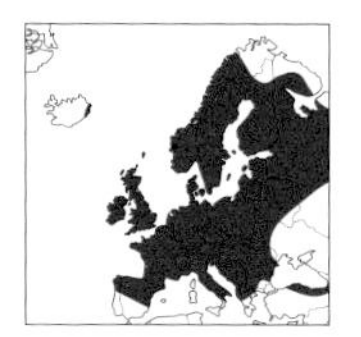

I	Ch	M	E	M	M
G	A	M	H	T	Rh

Pig yr aran y weirglodd

Geranium pratense Meadow Cranesbill

Planhigyn lluosflwydd, cadarn, hardd yn codi o wraidd coediog – ychydig yn ludiog ar ran uchaf y planhigyn. Mae'n gyffredin mewn rhai mannau mewn lleoedd glaswelltog, ochrau'r ffyrdd, prysgwydd ac ochrau coetiroedd ym Mhrydain ac eithrio gogledd yr Alban: wedi'i gyflwyno i Gernyw. Gall fod digonedd ohono mewn rhai mannau. Yn Iwerddon mae'n gyfyngedig i'r arfordir yn swydd Antrim, er ei fod wedi dianc o'r ardd mewn sawl man. Mae coesyn y blodau, sy'n troi at i lawr ar ôl blodeuo, yn unionsyth yn y ffrwyth.

FFEIL FFEITHIAU

Taldra: 30-80cm.

Blodau: Siâp cwpan, glas/fioled, 25-40cm ar draws, mewn clystyrau braidd yn gywasgedig ar y pen; 5 petal, heb riciau.

Dail: Wedi eu torri yn segmentau danheddog, hirgul, gyda 5-7 llabed ddofn.

Ffrwythau: Blewog, fel pig, gyda 5 segment sy'n cyrlio at i fyny ac yn ffrwydro pan fydd yn aeddfed, er mwyn gwasgaru'r had.

Planhigion Tebyg: Pig-yr-aran ruddgoch *(Geranium sanguineum)* sydd â blodau unigol coch/borffor a phetalau gyda rhiciau dwfn. Mae i'w weld ar y garreg galch, wrth lan y môr, yn arbennig yn y Burren, yn swydd Clare.

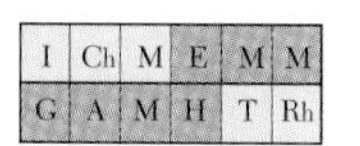

Pig yr aran

Geranium molle Dove's-foot cranesbill

Planhigyn unflwydd, blewog, canghennog, gyda choesyn gwan sy'n tyfu ar ochrau'r ffyrdd, tir anial a thwyni tywod yr arfordir, a hyd yn oed lawntiau sych sydd ddim yn cael eu torri'n rheolaidd. Dyma'r un mwyaf cyffredin o grŵp bychan o aelodau o'r teulu hwn sydd naill ai'n blanhigion unflwydd neu'n lluosflwydd fyrhoedlog ac sy'n byw ar dir agored wedi'i lunio gan ddyn. Maent i gyd gyda dail crwn â llabedau dwfn neu'n ddyranedig, blodau bach pinc neu borffor a ffrwythau hir, tenau sy'n edrych fel pig.

FFEIL FFEITHIAU

Taldra: 5-40cm.

Blodau: Siâp llestr, porffor/pinc neu weithiau'n wyn, 5-10 mm ar draws, mewn clystyrau llac ar y pen; 5 petal gyda rhiciau dwfn.

Dail: Wedi eu rhannu yn 3-5 segment, gyda 3 llabed, yn feddal flewog, fymryn yn llwyd/wyrdd.

Ffrwythau: Fymryn yn grychiog, di-flew, fel pig, gyda 5 segment sy'n cyrlio at i fyny ac yn ffrwydro pan fydd yn aeddfed er mwyn gwasgaru'r had.

Planhigion Tebyg: Y mwyaf cyffredin o sawl pig-yr-aran unflwydd sydd i'w cael ym Mhrydain ac Iwerddon.

I	Ch	M	E	M	M
G	A	M	H	T	Rh

Y Goesgoch

Geranium robertianum Herb robert

Planhigyn unflwydd, eilflwydd neu luosflwydd byrhoedlog, cain, aromatig, cochlyd, blewog, gyda choesyn noddlawn, bregus ac ymledol. Mae'n blanhigyn cyffredin mewn lleoedd cysgodol, clogwyni, creigiau, waliau a thraethau graean bras. Mae'n chwyn mewn gerddi cysgodol a hen dai gwydr. Weithiau bydd gan blanhigion o orllewin Prydain ac Iwerddon flodau gwyn. Mae gan isrywogaeth o'r goesgoch flodau bychan, ac mae'r planhigyn yn cael ei alw'n goesgoch fach; mae ganddo frigerau melyn a ffrwythau mwy crychiog. Mae'n brin ac i'w weld yn ne a gorllewin Lloegr a swydd Cork.

FFEIL FFEITHIAU

Taldra: 20-50cm.

Blodau: Siâp llestr, porffor/pinc, 15-30mm ar draws, mewn clystyrau llac iawn ar y pen; 5 petal; brigerau oren fel rheol.

Dail: Tebyg i redyn, wedi eu torri bron i'r bôn yn 3-5 segment, gyda llabedau dwfn.

Ffrwythau: Fymryn yn grychiog, fel pig, gyda 5 segment sy'n cyrlio at i fyny ac yn ffrwydro pan fydd yn aeddfed er mwyn gwasgaru'r had.

Planhigion Tebyg: Mae gan sawl planhigyn yn nheulu'r foronen ddail tebyg i redyn, ond gyda blodau gwahanol iawn.

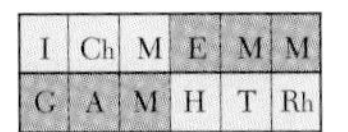

I	Ch	M	E	M	M
G	A	M	H	T	Rh

FFEIL FFEITHIAU

Taldra: 5-60cm.

Blodau: Siâp llestr, porffor/pinc, lliw lelog neu weithiau'n wyn, 8-20mm ar draws, 2-12 mewn pennau llac; 5 petal wedi'u rhicio'n ddwfn fel rheol.

Dail: Tebyg i redyn, wedi eu rhannu ddwywaith yn segmentau gyda llabedau dwfn, yn feddal flewog neu'n ludiog flewog.

Ffrwythau: Fymryn yn grychiog, gyda phig hyd at 6cm o hyd, gyda 5 segment sy'n troelli'n ffrwydrol wedi iddynt aeddfedu.

Planhigion Tebyg: Nid yw segmentau'r ffrwyth yn troelli'n ffrwydrol yn y rhan fwyaf o aelodau'r teulu; heblaw am y goesgoch (t. 92), nid oes ganddynt ddail tebyg i redyn.

Pig y crëyr

Erodium cicutarium Common stork's-bill

Planhigyn unflwydd, eilflwydd neu luosflwydd byrhoedlog, sy'n tyfu ar dir agored tywodlyd a charegog a glaswelltir heb ddyfnder daear, yn arbennig wrth y môr; mae'n gyffredin ar dwyni tywod, ble mae fwy neu lai yn llorweddol a gall hefyd fod yn ludiog flewog. Tyf ar yr arfordir yn bennaf yn Iwerddon. Mae'r ffrwyth yn ffrwydro pan fydd yn aeddfed er mwyn gwasgaru'r had mewn dull effeithiol iawn. Mae gan bob hedyn segment troellog fel tynnwr corcyn yn rhan ohono, ac mae'n troelli hwn i fewn i bridd rhydd. Mae'n rhywogaeth amrywiol, yn enwedig yn lliw a maint y petalau.

I	Ch	M	E	M	M
G	A	M	H	T	Rh

Dail cwlwm yr asgwrn neu Bresych y cŵn

Mercurialis perennis Dog's mercury

Planhigyn lluosflwydd, blewog gyda gwreiddgyff canghennog sy'n ffurfio clystyrau eang ar lawr coedlannau a chloddiau cysgodol. Mae'n blanhigyn sy'n nodweddiadol o hen goetir, ond mae'n lledaenu i gloddiau. Mae'n brin iawn yn Iwerddon ble cafodd ei gyflwyno i goetir ar rai stadau, ond ceir planhigion cynhenid ar dir calch yn swydd Clare. Mae'r planhigyn yn wenwynig. Mae'r blodau benywaidd a gwrywaidd ar blanhigion gwahanol. Peillir y blodau, sy'n ddigon tebyg i gynffonau ŵyn bach, gan y gwynt.

FFEIL FFEITHIAU

Taldra: 20-50cm.

Blodau: 4-5mm ar draws, gwyrdd, gyda 3 sepal, y blodau gwrywaidd mewn clystyrau fel taselau unionsyth, y rhai benywaidd mewn clystyrau o 2-3.

Dail: Mewn parau gyferbyn â'i gilydd, yn daclus ddanheddog ar ochrau'r dail, gwyrdd tywyll, pigfain.

Ffrwythau: Capsiwlau blewog, 2 labedog, 6-8mm o hyd.

Planhigion Tebyg: Mae bresych y cŵn blynyddol *(Mercurialis annua)* yn blanhigyn unflwydd, gwyrdd golau, di-flew sy'n tyfu ar dir âr a thir anial yn ne Lloegr, a dwyrain a de Iwerddon.

I	Ch	M	E	M	M
G	A	M	H	T	Rh

Llaethlys y coed

Euphorbia amygdaloides Wood spurge

Planhigyn lluosflwydd, unionsyth, blewog, trawiadol, yn aml yn gochlyd neu â gwawr borffor, sy'n ffurfio clwstwr ar gwr coedydd neu brysgwydd. Mae'n nodedig yng nghoedlannau derw a ffawydd de Lloegr ac yn ymestyn cyn belled â gogledd Cymru. Ar Ynysoedd Sili mae i'w ganfod ar rostir wrth y môr. Yn Iwerddon, mae i'w gael yn swydd Cork yn unig ac mae'n absennol o'r Alban. Pan dorrir y coesyn, mae sudd gwyn, gwenwynig yn llifo ohono. Mae un o deulu'r llaethlys wedi ei dyfu ar gyfer yr ardd (*Euphorbia robbii*). Cafodd ei gasglu'n wreiddiol yn Nhwrci, ond yn awr yn cael ei ystyried yn isrywogaeth o'r planhigyn hwn.

FFEIL FFEITHIAU

Taldra: 20-80cm.

Blodau: Gwawr felyn, gyda'r ffurfiant cymhleth sy'n nodweddu'r llaethlys; clwstwr o flodau gwrywaidd a benywaidd pitw y tu fewn i amlen neu gylchamlen.

Dail: Siâp gwaywffon, hirgul neu'n siâp llwy, hyd at 8cm o hyd.

Ffrwythau: Capsiwlau 3 cell, mân-bantiog a rhigolog, 3-4mm o hyd.

Planhigion Tebyg: Yr unig blanhigyn lluosflwydd (a chyffredin) o deulu'r llaethlys sy'n tyfu mewn coetiroedd.

I	Ch	M	E	M	M
G	A	M	H	T	Rh

Llaethlys yr ysgyfarnog

Euphorbia helioscopa Sun spurge

Planhigyn unflwydd, unionsyth, ar y cyfan heb ganghennau, melyn/wyrdd, di-flew sy'n tyfu ar dir wedi'i droi, yn arbennig tir âr. Mae'r planhigyn yn tyfu orau ar bridd cyfoethog ac yn cronni boron oddi fewn i'r meinwe. Pan dorrir y coesyn, mae sudd gwyn, gwenwynig yn llifo ohono ac roedd hwn, yn draddodiadol yn cael ei ddefnyddio i drin dafaden. Mae tua 15 o wahanol rywogaethau yng ngwledydd Prydain ac Iwerddon, amryw ohonynt yn brin. Y planhigyn hwn a'r llaethlys bach (gweler planhigion tebyg) yw'r unig rai cyffredin i dyfu ar dir âr.

FFEIL FFEITHIAU

Taldra: 10-50cm.

Blodau: Gwawr felyn, gyda'r ffurfiant cymhleth sy'n nodweddu'r llaethlys; clwstwr o flodau gwrywaidd a benywaidd pitw y tu fewn i amlen neu gylchamlen.

Dail: Hirgrwn neu siâp llwy, danheddog tua'r blaen.

Ffrwythau: Capsiwlau llyfn 2-3.5mm o hyd.

Planhigion Tebyg: Y llaethlys bach *(Euphorbia peplus)* yn blanhigyn unflwydd, canghennog, deiliog gyda dail heb ddannedd, sy'n chwyn mewn gerddi.

I	Ch	M	E	M	M
G	A	M	H	T	Rh

Amlaethai cyffredin

Polygala vulgaris Common milkwort

Planhigyn lluosflwydd, main, llorweddol, ymledol neu'n esgyn yn llipa; cyffredin mewn glaswelltir sych, yn arbennig ar bridd calchog neu sialc, ac ar dwyni tywod a chlogwyni. Mae'r blodau, sydd â ffurfiant cymhleth, yn amrywio'n fawr yn eu lliw, hyd yn oed mewn ardal fach. Dyma'r mwyaf cyffredin o'r pum aelod o'r teulu sy'n gynhenid i ynysoedd Prydain. Roedd yr amlaethai unwaith yn cael eu hargymell i famau oedd yn rhoi llaeth ac roedden nhw hefyd yn arfer cael eu cynnwys mewn garlantau ar gyfer defod cerdded y ffiniau.

FFEIL FFEITHIAU

Taldra: 10-35cm.

Blodau: 4-7mm o hyd, gyda 5 sepal tebyg i betal a corola pitw, glas ar y cyfan ond hefyd magenta, lelog, pinc, gwyn neu wyn â gwawr las arno; 10-40 mewn clystyrau llac, unionsyth.

Dail: Heb fod mewn parau, yn gul eliptaidd, y rhai isaf yn llai na'r rhai uchaf.

Ffrwythau: Capsiwlau, siâp ŵy, wedi eu fflatio, tua 5mm o hyd, wedi'u hamgáu mewn calycs gwyrdd, parhaol.

Planhigion Tebyg: Mae gan amlaethai'r waun *(Polygala serpyllifolia)*, sy'n tyfu ar laswelltir asid, y dail isaf mewn parau gyferbyn â'i gilydd.

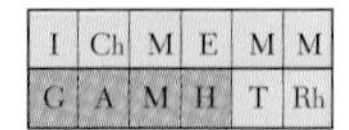

I	Ch	M	E	M	M
G	A	M	H	T	Rh

Jac y neidiwr

Impatiens glandulifera Himalayan balsam

Planhigyn unflwydd, trawiadol, di-flew, gyda choesyn nobl, bregus, llawn sudd, yn aml yn gochlyd gyda chymalau cnapiog ac arogl aromatig gor-felys. Mae'n gyffredin ac yn amlwg ddiwedd haf ger ochrau nentydd a glannau afonydd ac mewn lleoedd llaith a chysgodol, a niferoedd mawr yn aml yn tyfu gyda'i gilydd. Yn gynhenid i'r Himalaya, cafodd ei gyflwyno i'r ardd yng nghanol y 19eg ganrif. Ers hynny mae wedi lledaenu'n aruthrol yn ynysoedd Prydain ac Iwerddon, lledaeniad sydd wedi ei hwyluso gan y dull ffrwydrol o wasgaru'r had.

FFEIL FFEITHIAU

Taldra: 1-3m.

Blodau: Mewn clystyrau llac, 25-40 mm o hyd, porffor/pinc, pinc neu wyn; 5 petal ymdoddedig a 3 sepal, y mwyaf yn god gyda sbardun.

Dail: Mewn parau gyferbyn â'i gilydd neu mewn tair, siâp gwaywffon neu eliptaidd, pigfain, gydag ochrau danheddog, cochlyd.

Ffrwythau: Noddlawn, capsiwlau silindraidd sy'n ffrwydro i wasgaru'r hadau du.

Planhigion Tebyg: Mae gan aelodau eraill o deulu'r ffromlys flodau melyn ac oren.

Hocysen

Malva sylvestris Common mallow

Planhigyn eilflwydd, neu luosflwydd byrhoedlog, llorweddol, ymledol neu'n unionsyth, yn feddal flewog, ar dir anial, ochrau'r ffyrdd a glaswelltir sych neu wedi'i aflonyddu, a chloddiau. Mae'n blanhigyn sy'n ychwanegu lliw i'r ochr ffordd fleraf. Mae gan y dail rinweddau meddyginiaethol ac yn draddodiadol maent wedi bod yn ffynhonnell llysiau yn y gaeaf yn Ewrop ac mewn lleoedd eraill; maent yn dal i gael eu gwneud yn gawl mewn rhannau o ardal Môr y Canoldir. Gellir bwyta'r ffrwythau ac mae plant mewn ardaloedd gwledig yn eu galw'n 'gawsiau'.

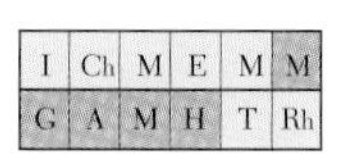

FFEIL FFEITHIAU

Taldra: 20-100cm, weithiau cymaint â 150cm.

Blodau: 2-4cm ar draws, pinc/porffor neu lelog, gyda gwythiennau tywyllach, a 5 petal wedi'u rhicio'n ddwfn.

Dail: Coesyn hir, siâp aren neu galon neu bron yn gylch, gyda 3-7 llabed danheddog; yn aml gyda marciau tywyll.

Ffrwythau: Sidell siâp disgen o gnau bychan gydag 1 hedyn.

Planhigion Tebyg: Mae'r hocysen fwsg (t. 100) gyda dail wedi'u torri'n ddwfn a blodau pinc golau neu wyn. Mae'r gorhocysen *(Malva neglecta)* yn llai ac fel arfer yn ymledol gyda blodau lliw lelog golau.

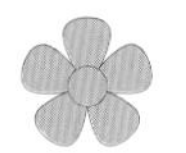

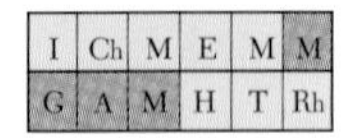

I	Ch	M	E	M	M
G	A	M	H	T	Rh

Hocysen fwsg

Malva moschata Musk mallow

Planhigyn lluosflwydd, cain, unionsyth, ychydig ganghennog gyda choesyn blewog, sy'n tyfu ar laswelltir a chloddiau. Mae'n gyffredin ond yn aml yn gyfyngedig ei ddosbarthiad sy'n cyrraedd cyn belled â de'r Alban. Mae'n gyfyngedig i dde ddwyrain Iwerddon. Fel sawl hocysen arall, arferid ei ddefnyddio mewn ffisig peswch oherwydd nodweddion y sudd i esmwytháu'r llwnc. Cafodd ei dyfu ym morder bach y bwthyn ac mae'n elfen boblogaidd mewn pacedi hadau gwyllt.

FFEIL FFEITHIAU

Taldra: 30-80cm.

Blodau: 25-50mm ar draws, pinc golau neu wyn, arogl mwsg, gyda 5 petal rhiciog.

Dail: Y dail isaf yn grwn, ond y gweddill wedi'u torri'n ddwfn yn segmentau siâp strap.

Ffrwythau: Sidell siâp disgen o gnau bychan gydag 1 hedyn.

Planhigion Tebyg: Mae gan yr hocysen (t. 99) a'r gorhocysen *(Malva neglecta)*, sydd â blodau llai na 25mm ar draws, ddail sy'n fas llabedog.

Eurinllys trydwll

Hypericum perforatum
Perforate St John's wort

I	Ch	M	E	M	M
G	A	M	H	T	Rh

Planhigyn lluosflwydd, unionsyth, di-flew sy'n tyfu ar laswelltir sych, prysgwydd, ochrau coetir a thir anial. Dyma'r mwyaf cyffredin o'r dwsin neu well o rywogaethau cynhenid y teulu, ond mae'n brin yn yr Alban. Arferid ei gysylltu â gwyliau Cristnogol (Gŵyl Ifan ar 24ain Mehefin) a'r troad y rhod paganaidd, a chredir fod ynddo'r gallu i gadw dewiniaeth a swyngyfaredd draw. Mae'n wenwynig i anifeiliaid stoc, yn gwneud eu croen yn sensitif i oleuni'r haul. Mae'n chwyn sy'n niwsans yng ngogledd America, ble y cafodd ei gyflwyno.

FFEIL FFEITHIAU

Taldra: 30-100cm.

Blodau: 10-15mm ar draws, mewn clystyrau canghennog; 5 petal, dirdro a chochlyd mewn blagur; 5 sepal, pob un gydag ychydig o smotiau duon; llawer o frigerau melyn.

Dail: Mewn parau gyferbyn â'i gilydd, 1-2cm o hyd, hirgul neu hirgrwn, gyda llawer o ddotiau tryloyw.

Ffrwythau: Capsiwlau siâp gellygen, 4-6mm, yn hollti'n 3 segment.

Planhigion Tebyg: Mae'r eurinllys meinsyth *(Hypericum pulchrum)* yn blanhigyn cain hyd at 40cm o uchder, gyda phetalau cochlyd; mae i'w ganfod ar rostir.

Fioled bêr

Viola odorata Sweet violet

Planhigyn lluosflwydd, cain, cudynnog sy'n tyfu ar gloddiau, prysgwydd a choetir. Un o flodau cynta'r gwanwyn, ac mae wedi cael ei dyfu yn y gerddi ers talwm iawn. Golyga hyn fod ei ddosbarthiad yn aneglur ac mae'n aml yn tyfu yn agos i dai. Gwyn yw'r lliw mwyaf cyffredin ymysg y blodau gwylltion. Yn yr haf mae ei ddail yn tyfu'n fwy er mwyn sicrhau eu bod yn gwneud yn fawr o'r ychydig olau sydd ar gael mewn coedlannau. Mae'r planhigyn yn atgenhedlu drwy hadau a thrwy ymledyddion hir sy'n gwreiddio.

I	Ch	M	E	M	M
G	A	M	H	T	Rh

Yn blodeuo yn y gaeaf mewn ardaloedd mwynach

FFEIL FFEITHIAU

Taldra: 5-20cm.

Blodau: 12-15mm o hyd, perarogl hyfryd, gwyn fel rheol, ond hefyd yn borffor/fioled, cochlyd/borffor, pinc neu liw lelog, unigol ar goesyn heb ddail.

Dail: Ar goesyn hir, mewn rosét, siâp calon, melfedaidd.

Ffrwythau: Capsiwlau pigfain, yn hollti'n 3 segment.

Planhigion Tebyg: Mae'r fioled gyffredin (t. 103) gyda dail di-flew a blodau glas/fioled, heb berarogl, ar goesyn deiliog.

I	Ch	M	E	M	M
G	A	M	H	T	Rh

Fioled gyffredin

Viola riviniana Dog-violet

Planhigyn lluosflwydd, cudynnog sy'n tyfu ar gloddiau, prysgwydd, coetir, glaswelltir, cilfachau'r mynyddoedd a rhostir arfordirol. Gall ledaenu'n gyflym a dod yn chwyn yn yr ardd. Fel pob aelod o'r teulu hwn, mae'r blodau ben ucha'n isa, gan fod coesyn y blodyn yn plygu'n siarp islaw'r blodyn. Mae'r petal fwyaf yn troi'n sbardun neu'n god fechan. Morgrug sy'n gwasgaru'r had. Mae yna sawl fioled gyffredin sy'n croesi gyda'i gilydd gan greu amrywiaeth o hybrid.

FFEIL FFEITHIAU

Taldra: 5-20cm.

Blodau: 15-25mm o hyd, glas/fioled, gyda sbardun glas golau, unigol ar goesyn deiliog.

Dail: Ar goesyn hir, siâp calon, di-flew.

Ffrwythau: Tua 3cm o hyd.

Planhigion Tebyg: Mae gan fioled y coed *(Viola reichenbachiana)*, sy'n tyfu'n bennaf yn ne Lloegr, flodau llai sy'n lliw fioled i gyd. Blodau gwyn, porffor neu fioled, peraroglus sydd gan y fioled bêr (t. 102).

I	Ch	M	E	M	M
G	A	M	H	T	Rh

Caru'n ofer neu Trilliw'r tir âr

Viola arvensis Field pansy

Planhigyn unflwydd, gyda choesyn esgynnol, llipa. Digonedd i'w gweld yn aml ar dir âr ac un o'r ychydig chwyn ar dir âr i allu gwrthsefyll plaladdwyr modern. Mae'n dal i fod yn gyffredin, ac eithrio yng ngogledd yr Alban, ac mae'n gyffredin mewn rhai lleoedd mewn cnydau grawnfwyd. Mae'n rhywogaeth amrywiol sy'n croesi gyda sawl trilliw gwyllt arall (gweler planhigion tebyg) i roi gwahanol ffurfiau cymhleth. Mae sawl un o'r amrywiadau hyn wedi'u disgrifio fel rhywogaethau, isrywogaethau ac amrywiadau.

FFEIL FFEITHIAU

Taldra: 5-40cm.

Blodau: 10-18mm o hyd, hufen, amrywiaeth o farciau melyn a glas/fioled, unigol ar goesyn deiliog; petalau'n fyrrach na'r sepalau.

Dail: Hirgul neu siâp llwy, llabedog neu ddanheddog.

Ffrwythau: Capsiwlau pigfain, yn hollti'n 3 segment.

Planhigion Tebyg: Mae gan y trilliw *(Viola tricolor)* flodau mwy, lliw fioled, porffor neu felyn, ac mae'r petalau'n hwy na'r sepalau.

I	Ch	M	E	M	M
G	A	M	H	T	Rh

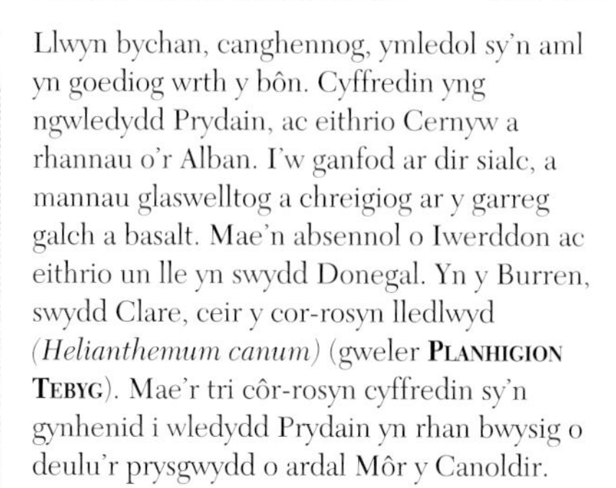

Cor-rosyn cyffredin

Helianthemum nummularium Rock-rose

Llwyn bychan, canghennog, ymledol sy'n aml yn goediog wrth y bôn. Cyffredin yng ngwledydd Prydain, ac eithrio Cernyw a rhannau o'r Alban. I'w ganfod ar dir sialc, a mannau glaswelltog a chreigiog ar y garreg galch a basalt. Mae'n absennol o Iwerddon ac eithrio un lle yn swydd Donegal. Yn y Burren, swydd Clare, ceir y cor-rosyn lledlwyd *(Helianthemum canum)* (gweler **PLANHIGION TEBYG**). Mae'r tri côr-rosyn cyffredin sy'n gynhenid i wledydd Prydain yn rhan bwysig o deulu'r prysgwydd o ardal Môr y Canoldir.

FFEIL FFEITHIAU

TALDRA: 10-40cm.

BLODAU: 18-25mm ar draws, melyn, mewn clystyrau o ychydig flodau, gyda 5 sepal â gwythiennau amlwg, 5 petal simsan a llawer o frigerau.

DAIL: Hirgul, 1 wythïen, blew gwyn dan y ddeilen.

FFRWYTHAU: Capsiwlau siâp ŵy, yn hollti'n 3 segment.

PLANHIGION TEBYG: Mae gan y cor-rosyn lledlwyd *(Helianthemum canum)* ddail culach a blodau llai, 10-15 mm ar draws. Mae i'w ganfod mewn ambell fan yng ngogledd a de-orllewin Cymru, Cumbria a'r Burren yn swydd Clare, Iwerddon.

I	Ch	M	E	M	M
G	A	M	H	T	Rh

Bloneg y ddaear

Bryonia dioica White bryony

Planhigyn lluosflwydd, gyda blew caled, sy'n dringo neu'n disgyn. Cyfyd o wreiddgyff nobl, tebyg i gloronen. Tyf ar wrychoedd, prysgwydd ac ochrau coetir. Mae'r gwraidd, sy'n fawr, ac yn nhyb rhai yn debyg i'r corff dynol, wedi cael ei alw a'i werthu fel mandrag. Yn ardal môr y Canoldir mae'r planhigyn mandrag go iawn yn tyfu. Mae bloneg y ddaear yn brinnach yng ngogledd a gorllewin Ynysoedd Prydain ac yn brin iawn yn Iwerddon. Cafodd ei gyflwyno i ambell safle yn Ulster ac yn ymyl Dulyn. Mae'r planhigyn yn wenwynig.

FFEIL FFEITHIAU

Taldra: 1-4m.

Blodau: Gwyrdd/wyn gyda gwythiennau tywyllach, mewn clystyrau ar goesyn, y blodau gwrywaidd a benywaidd ar wahanol blanhigion.

Dail: 5 neu 7 llabed, yn edrych fel deilen eiddew (iorwg) fawr; hir, tendrilau'n droellog gyferbyn â'r dail.

Ffrwythau: Aeron coch sfferaidd hyd at 1cm ar draws.

Planhigion Tebyg: Mae gan gwlwm y coed (t. 242), planhigyn arall sy'n dringo ar wrychoedd, ddail di-flew, siâp calon. Mae gan hopys (t. 11) flodau sy'n edrych fel côn neu daselau.

I	Ch	M	E	M	M
G	A	M	H	T	Rh

Llysiau'r milwr coch

Lythrum salicaria Purple loosestrife

Planhigyn lluosflwydd, unionsyth, trawiadol, gyda blew byr a choesyn 4 ongl. Mae'n ffurfio clystyrau amlwg mewn corsydd, ar lannau afonydd a nentydd, ac ar dir anial. Yng ngorllewin Iwerddon mae'n rhoi lliw amlwg, llachar i'r tirlun yn arbennig ar ddiwedd haf, hyd yn oed ymhell o ddŵr. Ceir tri math gwahanol o flodau ar blanhigion gwahanol, pob un gyda stigmâu o wahanol hyd ac mae'r addasiad yma'n gwella'r siawns o drawsbeilliad gan bryfetach. Gwasgerir yr hadau gludiog ar draed a phlu adar dŵr.

FFEIL FFEITHIAU

Taldra: 50-180cm.

Blodau: 1cm, coch/porffor, gyda 6 (weithiau 4) petal, mewn sidelli, wedi eu casglu mewn sbigynnau hir, trwchus.

Dail: Mewn parau neu fesul tair gyferbyn â'i gilydd, siâp gwaywffon neu hirgrwn, gyda mymryn o afael ar y coesyn.

Ffrwythau: Capsiwlau siâp ŵy, 3-4mm, gyda llawer o hadau bychain, bach.

Planhigion Tebyg: Mae gan yr helyglys hardd (t. 110) flodau mwy gyda 4 petal ac yn tyfu mewn lleoedd sychach.

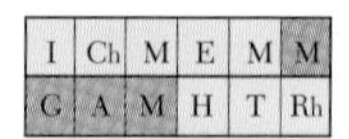

Llysiau Steffan

Circaea lutetiana Enchanter's nightshade

Planhigyn lluosflwydd, sydd fymryn yn felfedaidd. Mae'n tyfu mewn coedydd, lonydd a gerddi cysgodol ble gall fod yn chwyn. Lledaena drwy ddefnyddio ymledyddion a hadau ac weithiau gellir gweld niferoedd mawr ohonynt. Mae'r blew caled sydd ar y ffrwythau yn glynu at ffwr a dillad ac yn fodd o wasgaru'r had. Mewn ambell fan, mae llysiau Steffan y mynydd (gweler planhigion tebyg) wedi ei ddisodli. Mae sawl planhigyn yng Nghymru, gogledd Prydain a gogledd Iwerddon yn rhyngolion rhwng y ddwy rywogaeth ac yn ymddangos fel hybrid rhyngddynt.

FFEIL FFEITHIAU

Taldra: 10-50cm.

Blodau: 5-8mm ar draws, gwyn neu binc, mewn sbigynnau llac heb ddail sy'n ymestyn fel mae'r blodau'n agor; 4 petal, 2 wedi'u rhicio'n ddwfn.

Dail: Mewn parau gyferbyn â'i gilydd, siâp calon neu fwy neu lai'n hirgrwn, yn fas ddanheddog; dim adain ar y coesyn (gweler planhigion tebyg).

Ffrwythau: Siâp gellygen, 2 hedyn, wedi eu gorchuddio gan flew caled, bychan, bach gyda bach ar y blew.

Planhigion Tebyg: Mae gan lysiau Steffan y mynydd *(Circaea alpina)* ddail gydag adain ar y coesyn a sbigyn blodyn sy'n ymestyn ar ôl blodeuo.

I	Ch	M	E	M	M
G	A	M	H	T	Rh

FFEIL FFEITHIAU

Taldra: 80-150cm.

Blodau: 4-6cm ar draws, gyda 4 petal melyn golau a sepalau gwyrdd, mewn clwstwr hir, unionsyth.

Dail: Coesyn byr, cul, fwy neu lai yn siâp gwaywffon, yn fâs ddanheddog.

Ffrwythau: Capsiwlau tenau, melfedaidd tua 3cm o hyd.

Planhigion Tebyg: Mae gan felyn yr hwyr mawr *(Oenothera erythrosepala)* flew gyda bôn chwyddedig, coch a blodau sy'n 5-8 cm ar draws, gyda sepalau cochlyd.

Melyn yr hwyr

Oenothera biennis Evening primrose

Planhigyn unflwydd neu eilflwydd, unionsyth, gyda choesyn melfedaidd; yn gyffredin mewn rhai mannau ar ochrau'r ffyrdd a thir agored, tywodlyd, tir anial a gerddi. Mae'r gwraidd yn fwytadwy ac mae'r planhigyn yn cael ei dyfu'n gynyddol am ei olew, sy'n cael ei ddefnyddio mewn cynnyrch cosmetig a meddygol. Er iddo gael ei gyflwyno o ogledd America, mae'r planhigyn hwn wedi dod yn aelod cyfarwydd, sefydledig o fflora Ynysoedd Prydain; mae'n brinnach yng ngogledd Prydain ac yng Nghymru. Mae'r blodau'n agor gyda'r hwyr a chânt eu peillio gan wyfynod sy'n hedfan yn y nos.

I	Ch	M	E	M	M
G	A	M	H	T	Rh

Helyglys hardd

Chamerion angustifolium
Rosebay willowherb

Planhigyn lluosflwydd, unionsyth, bron yn ddiflew gyda gwreiddgyff ymledol, sy'n creu clystyrau mawr o'r planhigyn. Mae'n flodyn cyffredin ac amlwg mewn llennyrch yn y coed, rhostir, tir anial a thir diwydiannol diffaith, arglawdd rheilffordd a thwyni tywod. Mae'r rhywogaeth wedi ymestyn ei chyrhaeddiad yn sylweddol yn ystod yr 20fed ganrif, yn arbennig ers yr Ail Ryfel Byd, pan ledaenodd yn gyflym iawn oherwydd yr adfeilion a adawyd ar ôl y bomiau. Mae'n dal yn anghyffredin, fodd bynnag, yn y rhan fwyaf o Iwerddon. Gwasgerir ei hadau blewog gan y gwynt.

FFEIL FFEITHIAU

Taldra: 80-250cm.

Blodau: Tua 25mm ar draws, gyda 4 petal porffor/pinc; mewn sbigynnau pigfain, hir, llac; blagur yn troi at i lawr.

Dail: Bob yn ail, coesyn byr, cul, siâp gwaywffon.

Ffrwythau: Capsiwlau main, hyd at 6cm o hyd, yn hollti i ryddhau nifer o hadau, pob un gyda blew fel plu sidanaidd.

Planhigion Tebyg: Mae gan lysiau'r milwr coch (t. 107) flodau llai, sydd fel arfer â blodau gyda 6 petal ac yn tyfu mewn mannau gwlyb.

I	Ch	M	E	M	M
G	A	M	H	T	Rh

Helyglys pêr

Epilobium hirsutum Great hairy willowherb

Planhigyn lluosflwydd, unionsyth, yn feddal flewog ac ychydig ganghennog. Mae'n amlwg a hardd wrth dyfu mewn corsydd, glannau nentydd ac afonydd, ochrau'r ffyrdd a thir anial drwy wledydd Prydain ac Iwerddon, er ei fod yn absennol o'r rhan helaethaf o'r Alban. Hwn yw'r mwyaf o aelodau teulu'r helyglys a gall ffurfio dryslwyni sydd fwy neu lai'n cau nentydd bychain. Enwau Cymraeg eraill arno yw'r helyglys blewog mawr a'r helyglys pannog. *'Codlins-and-Cream'* yw un enw Saesneg arno; mae *'codlin'* yn hen enw am afal coginio, a chredir iddo gael yr enw oherwydd lliwiau pinc y petalau a hufen y stigma ar brigerau.

FFEIL FFEITHIAU

Taldra: 1-2m.

Blodau: 20-25mm ar draws, mewn clystyrau llac, gyda 4 petal porffor/pinc neu weithiau'n wyn, wedi'u rhicio'n fas a stigma 4 llabed amlwg; blagur unionsyth.

Dail: Gyferbyn â'i gilydd, yn hanner cau am y coesyn, hirgul neu siâp gwaywffon, yn fas ddanheddog.

Ffrwythau: Capsiwlau main, melfedaidd, 4-8cm o hyd, yn hollti i ryddhau'r hadau niferus, pob un gyda blew fel plu sidanaidd.

Planhigion Tebyg: Mae gan yr helyglys hardd (t. 110) flodau mewn sbigynnau hir a thyf mewn mannau sychach.

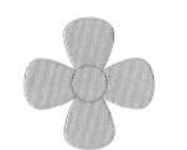

I	Ch	M	E	M	M
G	A	M	H	T	Rh

Helyglys llydanddail

Epilobium montanum

Broad-leaved willowherb

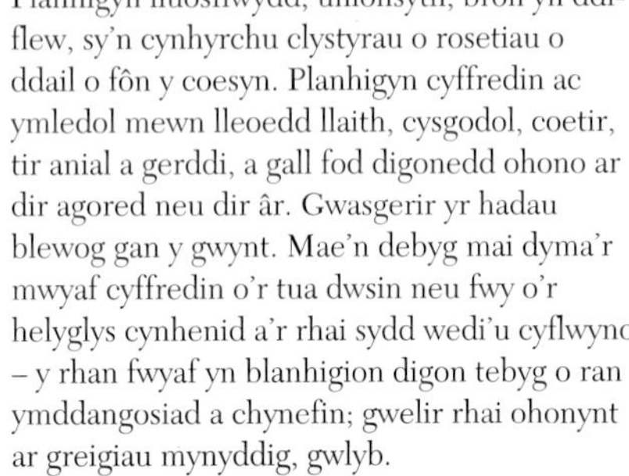

Planhigyn lluosflwydd, unionsyth, bron yn ddiflew, sy'n cynhyrchu clystyrau o rosetiau o ddail o fôn y coesyn. Planhigyn cyffredin ac ymledol mewn lleoedd llaith, cysgodol, coetir, tir anial a gerddi, a gall fod digonedd ohono ar dir agored neu dir âr. Gwasgerir yr hadau blewog gan y gwynt. Mae'n debyg mai dyma'r mwyaf cyffredin o'r tua dwsin neu fwy o'r helyglys cynhenid a'r rhai sydd wedi'u cyflwyno – y rhan fwyaf yn blanhigion digon tebyg o ran ymddangosiad a chynefin; gwelir rhai ohonynt ar greigiau mynyddig, gwlyb.

FFEIL FFEITHIAU

Taldra: 20-80cm.

Blodau: Tua 1cm ar draws, gyda 4 petal fylchog porffor/pinc, mewn clystyrau llac; mae'r blagur yn siglo rywychydig.

Dail: Mewn parau gyferbyn â'i gilydd ar y cyfan, coesyn byr, cul, hirgrwn, yn fas ddanheddog.

Ffrwythau: Capsiwlau main, melfedaidd hyd at 8cm o hyd gyda llawer o hadau bach, pob un gyda blew fel plu sidanaidd.

Planhigion Tebyg: Mae aelodau eraill o deulu'r helyglys yn gwahaniaethu mewn blew, maint y blodau a nodweddion eraill.

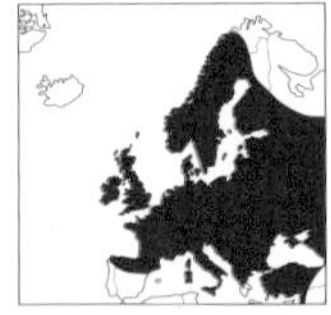

I	Ch	M	E	M	M
G	A	M	H	T	Rh

Eiddew neu Iorwg

Hedera helix Ivy

FFEIL FFEITHIAU

Taldra: 1-5m.

Blodau: Melyn/wyrdd, yn rhannu'n bump, mewn clystyrau cromennog, unionsyth, ar goesyn.

Dail: Siâp nodweddiadol dail eiddew gyda 5 llabed; y dail ar ganghennau sy'n blodeuo yn eliptaidd, dim llabed, pigfain.

Ffrwythau: Aeron sfferaidd, pen gwastad, du, 6-8 mm ar draws.

Planhigion Tebyg: Planhigyn sy'n hawdd ei adnabod er bod amrywiaeth yn lliw a maint y dail.

Dringwr cyfarwydd, gwyrdd tywyll sydd naill ai'n ymledu ar lawr neu'n dringo drwy gymorth y gwreiddiau sydd fel sugnwyr. Yn cynhyrchu blodau ar goesyn sydd ym mhen y llwyni o eiddew. Mae'r eiddew neu'r iorwg yn blanhigyn cyffredin iawn ac yn aml gwelir llawr y goedwig wedi'i orchuddio ganddo. Bydd hefyd yn ymledu dros goed, gwrychoedd a chreigiau, hen adeiladau a muriau. Y planhigyn olaf yn y flwyddyn i flodeuo, a bydd yn denu pryfetach ar ddyddiau heulog yn yr hydref. Yr eiddew yw prif fwyd lindys glesyn y celyn yng nghanol yr haf.

I	Ch	M	E	M	M
G	A	M	H	T	Rh

Celyn y môr

Eryngium maritimum Sea holly

Planhigyn lluosflwydd, nodedig, stiff, pigog, gwyrddlas, di-flew sy'n ffurfio clystyrau; mae'n gyffredin mewn rhai mannau ar draeth tywodlyd, weithiau ar raean bras. Ar yr olwg gyntaf, mae'n edrych yn debyg i ysgallen (teulu llygad y ddydd a dant y llew). Mae'n blanhigyn sydd wedi addasu'n dda i'w gynefin sych, cras. Mae gwreiddiau dwfn yn ei alluogi i gyrraedd dŵr croyw ac mae arwynebedd cwyraidd y dail yn atal colli gormod o ddŵr dan amodau sych y traeth, yn ogystal ag amddiffyn y planhigyn rhag diferion yr heli. Arferid rhoi siwgr ar y gwreiddiau a'u gwerthu fel melysion.

FFEIL FFEITHIAU

Taldra: 20-60cm.

Blodau: Glas, llawer, mewn pennau sfferaidd, trwchus, hyd at 3cm ar draws, wedi eu gosod mewn clwstwr yng nghanol bractau pigog.

Dail: 3 llabed fel arfer gydag ochrau tonnog ac yn bigog ddanheddog; yr ochrau a'r gwythiennau'n wyn; y dail uchaf yn glynu at y coesyn.

Ffrwythau: Yn gul ac yn debyg i ŵy; pigog.

Planhigion Tebyg: : Tyfir nifer o blanhigion pigog tebyg (eryngos) mewn gerddi.

I	Ch	M	E	M	M
G	A	M	H	T	Rh

Gorthyfail

Anthriscus sylvestris Cow parsley

Planhigyn lluosflwydd, unionsyth, eithaf nobl, deiliog, canghennog. Mae'n gyffredin, yn aml yn tyfu ar hyd ochrau'r ffyrdd, ar hyd y cloddiau ac mewn mannau cysgodol. Dyma'r mwyaf cyffredin a'r mwyaf adnabyddus o deulu'r foronen, ac yn niwedd y gwanwyn bydd yn gwyngalchu ochrau'r ffyrdd. Dechreua'r dail dyfu yn niwedd y gaeaf a gall rhai planhigion fod yn eu blodau cyn gynhared â mis Chwefror. Enwau eraill arno yw caraint neu foron gwyllt a chegiden fenyw. Mae gan nifer amrywiol o blanhigion goesyn porffor ac weithiau mae gwawr borffor ar y dail yn ogystal. Mae'n wenwynig.

FFEIL FFEITHIAU

Taldra: 40-150cm.

Blodau: Gwyn, 3-4 mm ar draws, llawer, mewn pennau gwastad, trwchus neu wmbel 3-7 cm ar draws; ychydig o fractau hirgrwn.

Dail: Cyfansawdd, hyd at 30cm o hyd, pluog, tebyg i redyn.

Ffrwythau: Siâp ŵy, hyd at 1cm o hyd, gwastad, llyfn, brown tywyll neu ddu.

Planhigion Tebyg: Mae'r cegid (t. 118) yn dalach a llai canghennog, mae'r dail yn fwy pluog ac mae blotiau porffor ar y coesyn.

I	Ch	M	E	M	M
G	A	M	H	T	Rh

Cnau daear

Conopodium majus Earthnut neu Pignut

Planhigyn lluosflwydd, unionsyth, main, gydag un coesyn sy'n codi o gloronen ddu, bron yn sfferaidd sydd wedi'i chladdu'n ddwfn yn y ddaear. Mae'n blanhigyn cyffredin ar laswelltiroedd, cloddiau a choedlannau; fe'i ceir ar dir sydd â draeniad da, fel rheol tir braidd yn asidig. Mae'n llai cyffredin yng nghanolbarth Lloegr, de-ddwyrain Iwerddon a rhannau o East Anglia. Arferai plant y wlad chwilio am wraidd y cnau daear fel byrbryd hwylus. Dosbarthiad gorllewinol sydd i'r cnau daear yn Ewrop; mae chwe rhywogaeth sy'n perthyn i'w canfod yn Sbaen a Phortiwgal.

FFEIL FFEITHIAU

Taldra: 20-80cm.

Blodau: Gwyn, llawer, mewn pennau gwastad neu wmbel, trwchus, 3-7 cm ar draws; bractiau'n absennol fel rheol.

Dail: Pluog, gyda llabedau cul iawn, y rhai wrth y bôn yn fwy rhanedig.

Ffrwythau: Siâp ŵy, 3-4mm o hyd, gyda phig.

Planhigion Tebyg: Mae'r segmentau pluog sydd i'r dail yn ffordd o wahaniaethu'r planhigyn hwn oddi wrth aelodau eraill o'r teulu; mae'r dail tebyg sydd gan ffenigl *(Foeniculum vulgare)* yn arogleuo o had anis.

I	Ch	M	E	M	M
G	A	M	H	T	Rh

FFEIL FFEITHIAU

Taldra: 30-100cm.

Blodau: Gwyn, llawer, mewn pennau gwastad neu wmbel, trwchus, hyd at 6cm ar draws; dim bractiau.

Dail: Ar goesyn, yn rhannu unwaith neu ddwy i 3 deiliosen hirgrwn neu fwy neu lai'n siâp gwaywffon, yn afreolaidd ddanheddog.

Ffrwythau: Siâp ŵy, cul, fflat, llyfn gyda 5 gwrym.

Planhigion Tebyg: Mae arfer y planhigyn o ymledu ymhell yn ffordd dda o wahaniaethu'r planhigyn hwn oddi wrth aelodau eraill o'r teulu.

Llysiau'r gymalwst

Aegopodium podagraria Ground elder

Planhigyn lluosflwydd, di-flew, sy'n ymledu ymhell, arogl braidd yn aromatig arno ac yn ffurfio clystyrau mawr. Mae'n gyffredin mewn mannau llaith, cysgodol, yn arbennig mewn gerddi ble gall fod yn niwsans fel chwyn. Ymleda'r planhigyn drwy ymledyddion sy'n gwreiddio'n fas – maent yn fregus ac yn ffurfio planhigion newydd yn rhwydd. Anaml y caiff ei weld ymhell oddi wrth anheddau dyn ac mae'n bur debyg iddo gael ei gyflwyno. Arferid coginio'r dail a'i fwyta fel sbigoglys ac mae'r planhigyn ag enw da fel meddyginiaeth tuag at drin y gymalwst neu'r gowt.

I	Ch	M	E	M	M
G	A	M	H	T	Rh

Cegid

Conium maculatum Hemlock

Planhigyn unflwydd neu eilflwydd, di-flew ag arogl anhyfryd arno gyda choesyn unionsyth, gwag â smotiau porffor arno. Fe'i gwelir ar dir anial, ochrau'r ffyrdd, yn aml o gwmpas adeiladau neu furddunod, neu ar domenni sbwriel. Weithiau ceir digonedd ohono ar ochrau ffyrdd newydd. Planhigyn gwenwynig iawn ac mae ei weld yn ddigon i godi ofn. Yn ôl pob sôn cafodd yr athronydd Groegaidd Socrates ei ddedfrydu i farwolaeth drwy yfed trwyth o'r cegid yn 399 CC. Enwau Cymraeg eraill arno yw cecys, cegid tir sych, cegyr, a gwyn y dillad.

FFEIL FFEITHIAU

Taldra: 100-250cm.

Blodau: Gwyn, llawer, mewn pennau gwastad neu wmbel, trwchus, 3-6cm ar draws; 5-6 o fractiau siâp triongl cul.

Dail: Cyfansawdd, wedi'u rhannu'n ddwfn, tebyg i redyn.

Ffrwythau: Bron yn sfferaidd, gyda gwrym tonnog, 2-3mm o hyd.

Planhigion Tebyg: Mae'r gorthyfail (t. 115) yn fyrrach ac yn fwy canghennog, mae'r dail yn llai pluog a does dim smotiau porffor ar y coesyn. Mae cegid y dŵr *(Oenanthe crocata)* i'w gael mewn corsydd a mannau gwlyb, ac mae ganddo goesyn heb smotiau a ffrwythau silindraidd.

I	Ch	M	E	M	M
G	A	M	H	T	Rh

Pannas gwyllt

Pastinaca sativa Wild parsnip

Planhigyn eilflwydd, unionsyth, gyda blew bras, yn aml yn reit nobl, gydag arogl aromatig. Tyf ar laswelltir sych, ochrau'r ffyrdd a thir anial, fel rheol ar bridd sy'n gyfoethog mewn calch. Mae i'w gael cyn belled i'r gogledd â gogledd swydd Efrog, ond mae'n gyffredin i'r de a'r dwyrain o'r Hafren a'r Humber; nid yw'n gynhenid yn Iwerddon ac mae'n gyfyngedig yno. Mae'r planhigyn yn isrywogaeth o'r pannas a dyfir yn yr ardd, sy'n blanhigyn talach a mwy nobl gyda hadau mwy, ac sydd weithiau'n dianc i'r gwyllt. Enwau Cymraeg eraill yw llysiau Gwyddelig, llysiau gwynion y gerddi, moronen wen, moronen y moch, panasen a phanasen wen.

FFEIL FFEITHIAU

Taldra: 30-100cm, weithiau hyd at 150cm.

Blodau: Melyn, llawer, mewn pennau gwastad neu wmbel, trwchus, hyd at 10cm ar draws; dim bractiau neu weithiau 1-2 sy'n disgyn yn fuan.

Dail: Cyfansawdd, gyda 5-11 o ddeilios sydd fwy neu lai yn hirgul, ac yn ddanheddog.

Ffrwythau: Eliptaidd, fflat, yn gul adeiniog, 5-8mm o hyd.

Planhigion Tebyg: Mae gan y ffenigl *(Foeniculum vulgare)* flodau melyn a dail pluog sy'n arogleuo o had anis; mae wedi dianc o'r ardd i dir anial a chloddiau sych.

I	Ch	M	E	M	M
G	A	M	H	T	Rh

Efwr

Heracleum sphondylium Hogweed

Planhigyn lluosflwydd, unionsyth, garw, nobl, blewog sy'n tyfu ar ochrau'r ffyrdd, cloddiau, glaswelltir toreithiog ffrwythlon, ochrau nentydd ac ochrau a llennyrch mewn coedlannau. Er iddo gael ei ddiystyru heddiw fel chwyn blêr, arferai fod yn fwyd moch ers talwm. Fel sawl aelod arall o deulu'r foronen, ond yn arbennig yr efwr enfawr (gweler **Planhigion Tebyg**), mae'n achosi'r croen i fod yn sensitif i olau'r haul, a hynny'n creu pothelli a briwiau. Mae weithiau'n croesi gyda'r efwr enfawr. Enwau Cymraeg eraill arno yw ewr, efyrllys, pannas y cawr, moron y meirch, panasen y fuwch, y gron, bras gawl a cecsen.

FFEIL FFEITHIAU

Taldra: 1-3m.

Blodau: Gwyn, neu weithiau'n borffor/pinc, llawer, mewn pennau gwastad neu wmbel, trwchus, hyd at 25 cm ar draws; ychydig fractiau cul.

Dail: Amrywiol gyfansawdd, blew bras.

Ffrwythau: Hirgrwn, fflat, fwy neu lai'n adeiniog, 2-3mm o hyd.

Planhigion Tebyg: Cyflwynwyd yr efwr enfawr *(Heracleum mantegazzianum)* o'r Cawcasws ac mae'n blanhigyn enfawr hyd at 5m o daldra, gyda choesynnau enfawr, dail hyd at 3m ar draws ac wmbelau tua 20-50cm ar draws.

I	Ch	M	E	M	M
G	A	M	H	T	Rh

Moron y maes

Daucus carota Wild carrot

Planhigyn unflwydd, eilflwydd neu luosflwydd byrhoedlog , unionsyth gyda gwraidd hir, cul. Mae'n gyffredin er yn gyfyngedig ac i'w weld ar laswelltir sych yn arbennig ar dir calch ac wrth yr arfordir. Mae pennau ceugrwm y ffrwythau yn nodwedd nodedig o ochrau'r ffyrdd a'r glaswelltir yn yr haf. Rhywogaeth amrywiol iawn; mae llawer o'r planhigion sydd ar yr arfordir yn llai na 40cm o uchder a gyda dail noddlawn, sgleiniog a phen o ffrwythau. Mae moron y maes yn isrywogaeth o foron yr ardd, ond nid oes ganddo'r gwraidd oren, chwyddedig. Enw Cymraeg arall yw nyth aderyn.

FFEIL FFEITHIAU

Taldra: 20-100cm.

Blodau: Gwyn neu lelog, niferus mewn pennau neu wmbel ceugrwm neu gromennog, trwchus, 2-6cm ar draws; coler o fractiau wedi'u rhannu'n ddwfn.

Dail: Cyfansawdd, wedi'u rhannu'n ddwfn, tebyg i redyn.

Ffrwythau: Siâp ŵy, 2-4mm o hyd, fflat, yn rhesog iawn.

Planhigion Tebyg: Mae'r goler o fractiau wedi'i rhannu'n ddwfn yn rhoi golwg nodedig ar y planhigyn o'i gymharu ag aelodau eraill o'r teulu hwn.

I	Ch	M	E	M	M
G	A	M	H	T	Rh

Grug

Calluna vulgaris Heather neu Ling

Llwyn bychan, canghennog, bytholwyrdd, a rhannau isaf y coesyn yn aml fel pren. Mae'n gyffredin ar erwau lawer o waun a rhos, corsydd, coedlannau agored, glaswelltir a thwyni tywod. Weithiau bydd y planhigion yn llwyd felfedaidd, y arbennig ar rostir arfordirol. Yn yr Alban a manna eraill arferid defnyddio'r grug ar gyfer toi, fel ffynhonnell lliwur ac i wneud cwrw chwedlonol. Mae'n dal i fod yn ffynhonnell bwysig o neithdar gyfer y fêl wenynen. Mewn rhai mannau yng Nghymru arferid gwneud teisi grug, er mwyn cae cyflenwad yn ymyl y tŷ i gynnau tân. Mae llosgi rheolaidd a phori yn ffyrdd o'i atal rhag gordyfu.

FFEIL FFEITHIAU

Taldra: 20-60cm. Weithiau cymaint â 100cm.

Blodau: Bychan, siâp cloch, porffor golau, ambell dro yn lelog neu wyn, mewn sbigynnau deiliog; 4 llabed ar y calycs a'r corola.

Dail: Bychan, yn gorgyffwrdd ei gilydd mewn rhesi gyferbyn â'i gilydd, hirgul.

Ffrwythau: Capsiwlau bychan, sfferaidd, pob un mewn corola sych, parhaol.

Planhigion Tebyg: Mae gan aelodau eraill o'r teulu fel grug y mêl (t. 123) flodau mwy a dail sydd heb fod yn gorgyffwrdd.

I	Ch	M	E	M	M
G	A	M	H	T	Rh

Grug y mêl

Erica cinerea Bell heather

Llwyn bychan, bytholwyrdd, canghennog, di-flew, a rhannau isaf y coesyn yn aml fel pren. Mae'n gyffredin ac yn tra-arglwyddiaethu gyda'r grug (t. 122) dros erwau eang o waun a rhos, tir creigiog a choedlannau agored. Mae'n werth ei weld yn ei flodau ddiwedd haf, yn arbennig gyda'r eithin mân (gweler eithin, planhigion tebyg t. 74) ar rostiroedd yr arfordir gorllewinol. Fel llawer o aelodau eraill o'r teulu hwn, mae'n absennol o ganolbarth Lloegr. Mae'r blodau peraroglus yn ffynhonnell bwysig o neithdar i'r fêl wenynen. Enwau Cymraeg eraill yw clychau'r grug, grug clochog a grug llwydlas.

FFEIL FFEITHIAU

TALDRA: 20-75cm.

BLODAU: 4-7mm o hyd, fel cod neu gloch fechan, coch/porffor, yn anaml yn wyn, mewn clystyrau bach, hirfain.

DAIL: Bach, cul iawn, gyda'r ochrau wedi troi i fewn, mewn cylch o dair.

FFRWYTHAU: Capsiwlau bychan, sfferaidd, pob un mewn corola sych, parhaol.

PLANHIGION TEBYG: Mae'r grug croesddail *(Erica tetralix)* yn llwyd, melfedaidd, gyda'r dail fesul pedair a blodau pinc; mae i'w weld ar gorsydd a rhostir gwlyb.

I	Ch	M	E	M	M
G	A	M	H	T	Rh

Llus

Vaccinium myrtillus Bilberry

Llwyn bychan, ychydig ganghennog, di-flew sy'n tyfu ar gorsydd, rhostir a llennyrch mewn coedlannau bedw, derw a choed pîn mewn pridd asidig sydd â draeniad da. Yn aml ceir digonedd ohonynt ond maent yn brin yng nghanolbarth Lloegr a llawer o ganolbarth Iwerddon. Cesglir yr aeron melys, bwytadwy gan drigolion y wlad ond pur anaml erbyn hyn y cânt eu gwerthu mewn siopau a thai bwyta yma – yn wahanol i ganolbarth a dwyrain Ewrop. Mae blas da arnynt yn amrwd neu wedi'u coginio mewn tarten, jeli neu jam. Defnyddir hwy hefyd i wneud lliwur porffor. Enwau Cymraeg eraill yw llusi duon bach, llysau duon bach a mwyar y brain.

FFEIL FFEITHIAU

Taldra: 20-40cm.

Blodau: Unigol neu mewn parau, 4-6mm o hyd, hir, fel cod fach, bron yn sfferaidd, gwyrdd golau gydag arlliw o binc.

Dail: Hirgrwn, pigfain, yn fân ddanheddog, gwyrdd llachar, yn bwrw'r dail yn yr hydref.

Ffrwythau: Aeron sfferaidd, dulas, 5-8mm ar draws.

Planhigion Tebyg: Ceir rhywogaethau sy'n perthyn gyda dosbarthiad mwy cyfyngedig, gydag aeron du neu goch, mewn corsydd, ar rostir a mynyddoedd.

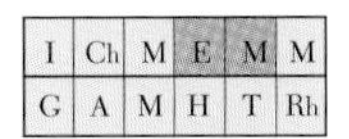

Briallu Mair

Primula veris Cowslip

Planhigyn lluosflwydd, melfedaidd, sy'n tyfu mewn clystyrau ar hen weirgloddiau a phorfeydd, argloddiau rheilffordd, clogwyni'r arfordir ac ochrau'r ffyrdd, fel rheol ar bridd calchog. Un o'n blodau mwyaf cyfarwydd, er ei fod yn gyfyngedig i rai ardaloedd yn yr Alban. Yn anffodus, mae eu niferoedd wedi gostwng yn sylweddol oherwydd bod ffermio modern wedi difetha eu cynefin naturiol. Mae'n cael ei blannu erbyn hyn ar ochrau traffyrdd newydd a glaswelltir. Weithiau bydd yn croesi gyda'r friallen (t. 126) i ffurfio hybrid sy'n debyg i'r friallen groesryw. Enwau Cymraeg tlws eraill yw dagrau Mair, sawdl y fuwch, llysiau'r parlys, ac allweddau Pedr.

FFEIL FFEITHIAU

Taldra: 10-35cm.

Blodau: 8-15mm ar draws, aur felyn, gyda smotyn oren ar fôn pob llabed o'r petal, mewn clwstwr sy'n crymu ar un ochr; siâp cloch ar y calycs, wedi'i blethu, gwyrdd golau.

Dail: Y cyfan mewn rosét wrth y bôn, fwy neu lai yn hirgrwn, yn cyfangu'n sydyn i'r coesyn, yn aneglur ddanheddog, crych.

Ffrwythau: Capsiwlau oddi fewn i'r tiwb calycs parhaol.

Planhigion Tebyg: Mae gan y croesiadau gyda'r briallu flodau sy'n fwy.

I	Ch	M	E	M	M
G	A	M	H	T	Rh

Weithiau o fis Tachwedd mewn ardaloedd mwyn

Briallu

Primula vulgaris Primrose

Planhigyn lluosflwydd, cudynnog sy'n tyfu mewn coedlannau, prysgwydd, cloddiau, arglawdd rheilffordd, clogwyni'r arfordir a chilfachau'r mynyddoedd. Mewn ambell fan mae wedi darfod am fod y blodau wedi cael eu codi ar gyfer y gerddi. Weithiau mae'n croesi gyda briallu Mair. Ambell dro ceir blodau pinc sydd, mae'n bur debyg, wedi croesi gyda briallu'r ardd a briallu amryliw. Mae'r enw gwyddonol *Prima rosa* yn dod o'r Lladin a'i ystyr yw rhosyn cyntaf, sef rhosyn cynta'r flwyddyn. Hwn oedd hoff flodyn Benjamin Disraeli, a dyddiad ei eni yw 19eg Ebrill, sef Diwrnod y Briallu.

FFEIL FFEITHIAU

Taldra: 10-25cm.

Blodau: 20-40mm ar draws, unigol, melyn golau gyda'r canol yn dywyllach, perarogl cryf; siâp cloch ar y calycs, wedi'i blethu, gwyrdd.

Dail: Mewn rosét wrth y bôn, fwy neu lai yn hirgul, yn culhau i'r coesyn, yn aneglur danheddog, melfedaidd dan y ddeilen.

Ffrwythau: Capsiwlau sydd bron yn sfferaidd o fewn i diwb calycs sy'n barhaol.

Planhigion Tebyg: Mae gan y croesiadau gyda briallu Mair (t. 125) flodau sydd wedi'u casglu at ei gilydd ar y pen.

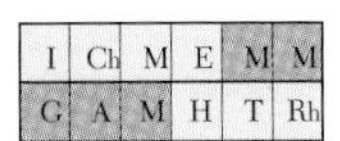

Gwlyddyn melyn Mair

Lysimachia nemorum Yellow pimpernel

Planhigyn lluosflwydd, ymledol, eiddil sy'n tyfu ar lwybrau'r coedlannau a mannau llaith, cysgodol, yn arbennig ar bridd asidig. Mae'n gyffredin drwy wledydd Prydain ac Iwerddon, er nad oes fawr neb yn sylwi arno er bod ganddo dymor blodeuo hir. Mae ei ddiwyg bytholwyrdd yn ffordd o wahaniaethu rhyngddo a llysiau'r cryman (t. 130), sydd â blodau o bob lliw ac eithrio melyn. Mae hanner cyntaf ei enw gwyddonol *Lysimachia* yn coffáu Lysimachos o Thracia, un o gadfridogion Alecsander Fawr.

FFEIL FFEITHIAU

Taldra: 10-45cm.

Blodau: Mewn parau, yn codi o gesail y dail, siâp dysgl, melyn, 6-9mm ar draws, ar goesynnau main iawn.

Dail: Mewn parau gyferbyn â'i gilydd, siâp calon, pigfain.

Ffrwythau: Capsiwlau sfferaidd, oddi fewn (ac yn llawer llai) na'r calycs parhaol; yn hollti drwy 5 o ddannedd pan fydd yn aeddfed.

Planhigion Tebyg: Mae gan Siani lusg (t. 128) flodau mwy, siâp cloch, ar goesynnau byrrach a mwy trwchus.

I	Ch	M	E	M	M
G	A	M	H	T	Rh

FFEIL FFEITHIAU

Taldra: 10-45cm.

Blodau: Mewn parau yn codi o gesail y dail, siâp cloch, melyn, 1-2cm ar draws, ar goesyn byr.

Dail: Mewn parau gyferbyn â'i gilydd, hirgrwn, pŵl.

Ffrwythau: Capsiwlau sydd heb eu gweld ym Mhrydain.

Planhigion Tebyg: Mae gan wlyddyn melyn Mair (t. 127) flodau llawer llai sy'n siâp dysgl ar goesynnau byr.

Siani lusg

Lysimachia nummularia Creeping jenny

Planhigyn lluosflwydd, cain sy'n ymledu ymhell ar lannau llynnoedd, ffosydd, ochrau llwybrau a mannau glaswelltog llaith a chysgodol; mae rhywun yn aml yn mynd heibio iddo heb sylwi arno. Fe'i gwelir gan amlaf fel chwyn o gwmpas gerddi bythynnod ac o gwmpas pentrefi. Mae'n brin yn yr Alban a'r rhan fwyaf o Iwerddon, yn arbennig yn y de, a chafodd ei gyflwyno i Gernyw. Mae'r coesyn ymledol yn bwrw gwreiddiau wrth bob pâr o ddail – nid yw'n hadu yn Ynysoedd Prydain ac Iwerddon, ond mae'n atgenhedlu'n rhwydd drwy wreiddio o ddarnau llystyfiannol.

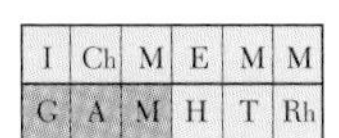

I	Ch	M	E	M	M
G	A	M	H	T	Rh

Trewyn

Lysimachia vulgaris Yellow loosestrife

Planhigyn lluosflwydd, unionsyth sy'n ymledu drwy wreiddgyff ac yn ffurfio clystyrau mewn corsydd, coedydd gwlyb, glannau llynnoedd a phyllau graean, glannau afonydd a gerllaw tai ar ôl dianc o'r ardd. Mae i'w weld ym mhobman, er yn brin mewn rhai mannau, drwy Ynysoedd Prydain ac Iwerddon, ac eithrio'r rhan fwyaf o ogledd a dwyrain yr Alban. Nid yw'n perthyn i lysiau'r milwr coch (t. 107) er ei fod i'w gael mewn cynefinoedd tebyg fel corsydd a mannau gwlyb. Gall yr enw Saesneg *'loostrife'* gyfeirio at rinwedd sydd i fod yn perthyn i'r planhigyn i dawelu da byw.

FFEIL FFEITHIAU

Taldra: 40-160cm.

Blodau: Siâp cwpan, 15-18mm ar draws, gyda 5 petal a 5 sepal, wedi'u clystyru mewn pennau llac, canghennog.

Dail: Mewn parau gyferbyn â'i gilydd neu fesul tri neu bedwar, coesyn byr, hirgrwn i siâp gwaywffon, gyda dotiau du.

Ffrwythau: Capsiwlau sfferaidd.

Planhigion Tebyg: Mae'r trewyn brych *(Lysimachia punctata)* yn blanhigyn sydd wedi dianc o'r ardd gyda blodau 2-3cm ar draws mewn clystyrau hir, trwchus.

I	Ch	M	E	M	M
G	A	M	H	T	Rh

Llysiau'r cryman

Anagallis arvensis Scarlet pimpernel

Planhigyn unflwydd neu eilflwydd, di-flew sydd â choesynnau sgwâr, llorweddol neu'n esgynnol wan. Mae'n blanhigyn cyffredin ar dir âr, ochrau'r ffyrdd, twyni tywod a mannau agored, llaith neu dywodlyd ger y môr, ac yn siŵr o fod y tlysaf o'n chwyn cyffredin. Mae'r blodau'n agor mewn haul llachar yn unig a dyma sy'n cyfrif, mae'n debyg, am yr enw 'coch y tywydd' arno – *'Poor Man's weatherglass'* yn Saesneg. Mae'r blodau yn cau ddiwedd y prynhawn. Mae planhigion gyda lliw'r croen yn gyffredin mewn rhai mannau ar arfordir Iwerddon, de orllewin Lloegr a rhai mannau eraill.

FFEIL FFEITHIAU

Taldra: 5-50cm.

Blodau: Mewn parau yn codi o gesail y dail, siâp dysgl, 4-8mm ar draws, ysgarlad, gyda chanol porffor, weithiau'n lliw y croen (yn anaml yn las neu lelog).

Dail: Mewn parau gyferbyn â'i gilydd, coesyn byr, hirgrwn i siâp gwaywffon, weithiau'n noddlawn.

Ffrwythau: Capsiwlau sfferaidd tua 5mm ar draws, yn hollti o gwmpas y canol.

Planhigion Tebyg: Mae gwlyddyn melyn Mair (t. 127) yn blanhigyn lluosflwydd gyda blodau melyn sydd ychydig yn fwy ac mae'n tyfu mewn mannau llaith, cysgodol.

I	Ch	M	E	M	M
G	A	M	H	T	Rh

Clustog Fair

Armeria maritima Thrift

Planhigyn lluosflwydd, sy'n tyfu'n isel, gyda chudynnau o ddail yn codi o goesyn sydd fel pren, ac yn ffurfio clystyrau a matiau helaeth. Un o'r planhigion mwyaf cyffredin a nodweddiadol o glogwyni, creigiau'r arfordir a morfa heli. Mae hefyd i'w weld ar greigiau'r mynydd a'r glaswelltiroedd, tipiau mwyngloddiau ac weithiau ar lannau llynnoedd, fel yn Killarney yn swydd Kerry. Mae planhigion gyda blodau tywyllach, cywasgedig yn cael eu tyfu'n gyffredin mewn gerddi.

FFEIL FFEITHIAU

Taldra: 5-15cm, weithiau hyd at 35cm.

Blodau: 5-10mm ar draws, siâp twmffat, peraroglus, pinc, mewn pennau crwn, trwchus 1-3cm ar draws, gyda chen tenau o gwmpas y bôn; y calycs parhaol yn denau.

Dail: Y cyfan yn tyfu o'r bôn, tebyg i wair, pigfain, ychydig yn noddlawn.

Ffrwythau: Bach, 1 hedyn, sych, tenau.

Planhigion Tebyg: Planhigyn nodedig o lan y môr sy'n anodd i'w gymysgu gydag unrhyw un arall.

I	Ch	M	E	M	M
G	A	M	H	T	Rh

Lafant y môr

Limonium vulgare Common sea-lavender

Planhigyn lluosflwydd, unionsyth, di-flew, gyda gwreiddgyff sydd braidd fel pren a choesyn heb ddail. Mae'n blanhigyn amlwg ar forfa heli fwdlyd ac weithiau ar greigiau a chlogwyni'r arfordir, a thraethau graean bras. Mae'n gyffredin ac yn aml i'w weld mewn niferoedd i'r gogledd o Aber Gweryd, er ei fod yn absennol o Iwerddon (ond gweler PLANHIGION TEBYG, lafant y môr blodau llac). Yn ystod Gorffennaf ac Awst mae'n paentio'r morfa heli gyda'i liw lafant nodedig. Defnyddir y blodau wedi'u sychu weithiau mewn gosodiadau blodau.

FFEIL FFEITHIAU

TALDRA: 20-40cm, weithiau hyd at 70cm.

BLODAU: 5-6mm ar draws, siâp twmffat neu dwndis, glas/lelog, mewn clwstwr trwchus, 1 ochrog, pen gwastad, canghennog.

DAIL: Wrth y bôn, ar goesyn, siâp gwaywffon neu eliptaidd, fwy neu lai'n bigfain, noddlawn.

FFRWYTHAU: Bach, 1 hedyn, sych, tenau.

PLANHIGION TEBYG: Mae gan lafant y môr blodau llac *(Limonium humile)*, goesynnau hyd at 40 cm o daldra, yn ganghennog yn y rhan uchaf, a blodau mewn sbigynnau hwy, mwy llac. Mae ganddo ddosbarthiad tebyg ond mae hefyd i'w gael yn Iwerddon.

I	Ch	M	E	M	M
G	A	M	H	T	Rh

Y ganrhi goch

Centaurium erythraea Centaury

Planhigyn eilflwydd neu luosflwydd byrhoedlog unionsyth, di-flew, fel rheol gydag un coesyn. Mae'n tyfu ar laswelltir sych, clogwyni'r arfordir a thwyni tywod. Y blodyn tlws hwn yw un o'r mwyaf cyffredin o deulu'r crwynllys; ar y cyfan mae'n eithaf cyffredin ond gall fod yn gyfyngedig i'r arfordir yn yr Alban. Mae'n rhywogaeth amrywiol, yn arbennig ar yr arfordir lle ceir amrywiadau fel corblanhigion a rhai gyda dail cul . Mae gan y planhigyn rinweddau meddyginiaethol ac mae trwyth a wneir ohono wedi cael ei ddefnyddio fel tonic ers tro byd. Enwau Cymraeg eraill yw bustl y ddaear, llysiau'r bleurwg, ysgol Crist ac ysgol Fair.

FFEIL FFEITHIAU

Taldra: 10-30cm, weithiau hyd at 50cm.

Blodau: Pinc, siâp twmffat neu dwndis, 5-8mm ar draws, mewn clwstwr trwchus, canghennog, sydd â phen gwastad fwy neu lai.

Dail: Y dail isaf yn hirgrwn, dail y coesyn yn llawer llai ac yn gulach.

Ffrwythau: Capsiwlau bach, silindraidd.

Planhigion Tebyg: Mae yna nifer o rywogaethau eraill o'r ganrhi sy'n brinnach, gyda blodau pinc, y cyfan yn gyfyngedig i'r arfordir.

I	Ch	M	E	M	M
G	A	M	H	T	Rh

FFEIL FFEITHIAU

Taldra: 10-60cm.

Blodau: Melyn, 8-15mm ar draws, siâp powlen, mewn clystyrau llac sydd â phen gwastad fwy neu lai.

Dail: Y rhai wrth y bôn yn hirgrwn, y rhai ar y coesyn gyferbyn â'i gilydd mewn parau ymdoddedig, bron fel triongl.

Ffrwythau: Capsiwlau bach, silindraidd.

Planhigion Tebyg: Mae'r cyfuniad o flodau melyn a dail ymdoddedig glas/lwyd yn hawdd eu hadnabod.

Y ganrhi felen

Blackstonia perfoliata Yellow-wort

Planhigyn unflwydd, unionsyth, di-flew, glas/wyrdd golau sy'n tyfu ar laswelltir sych, y ffen a thwyni tywod, yn arbennig ar dir calch. Mae'n gyffredin mewn rhai ardaloedd, ac i'w weld i'r gogledd cyn belled â Swydd Efrog a Swydd Sligo, er ei fod erbyn hyn yn ymestyn ei derfynau yng ngogledd Lloegr ble mae wedi lledaenu drwy bacedi o hadau blodau gwyllt. Mae wedi cael ei ddefnyddio fel tonig i hybu treuliad ac fel ffynhonnell lliwur melyn. Mae rhan gyntaf ei enw gwyddonol yn coffáu'r apothecari a'r botanegwr o Loegr, John Blackstone (1712-53).

I	Ch	M	E	M	M
G	A	M	H	T	Rh

Crwynllys yr hydref

Gentianella amarella Autumn felwort

Planhigyn unflwydd neu eilflwydd, unionsyth, di-flew sy'n tyfu ar laswelltir ar dir calch, clogwyni'r arfordir a thwyni tywod. Bydd y planhigyn hwn weithiau'n ymddangos mewn niferoedd mawr ddiwedd yr haf pan fydd y mwyafrif o'r blodau eraill yn marw. Nid yw i'w weld ym mhobman, yn arbennig yn yr Alban ac yn Iwerddon. Mae'r crwynllys yn debyg iawn i'r gwir grwynllys y mynydd a geir yn yr Alpau a mannau tebyg, ond mae gwahaniaeth yn y blodau, yn arbennig yr eddïau neu'r rhidens o flew a geir wrth geg y corola, sy'n absennol yn y gwir grwynllys.

FFEIL FFEITHIAU

Taldra: 5-30cm.

Blodau: 12-20mm o hyd, siâp cloch, porffor pŵl neu pinc/porffor, gyda 4-5 llabed sy'n ymledu, yn eddïog o gwmpas y geg.

Dail: Mewn parau gyferbyn â'i gilydd, fwy neu lai'n siâp gwaywffon, gwawr borffor.

Ffrwythau: Capsiwlau bach, silindraidd.

Planhigion Tebyg: Mae crwynllys y gwanwyn *(Gentiana verna)* yn blanhigyn lluosflwydd gyda blodau mwy, glas dwfn, sy'n tyfu ar y glaswelltir calchog yn ardal Galway yn Iwerddon ac yn Teesdale Uchaf, Swydd Efrog.

I	Ch	M	E	M	M
G	A	M	H	T	Rh

Ffa'r gors

Menyanthes trifoliata Bogbean

Planhigyn lluosflwydd, hardd, di-flew, dyfrol, gyda gwreiddgyff cryf sy'n ymledu ymhell. Weithiau bydd digonedd ohono mewn llynnoedd bas, pyllau, llynnoedd mynydd a phyllau yn y gors. Mae'n gyffredin yng ngogledd a gorllewin Prydain, ac yn Iwerddon ond mae wedi diflannu o sawl man yn ne Lloegr. Mae blas chwerw ar y dail ac maent wedi cael eu defnyddio i roi blas ar gwrw. Mae gweld nifer o'r planhigion gyda'i gilydd ym Mai a Mehefin yn olygfa gwerth chweil.

FFEIL FFEITHIAU

Taldra: 10-35cm.

Blodau: Pinc neu wyn, tua 15mm ar draws, siâp cloch, gyda 5 llabed petal flewog sy'n ymledu, hyd at 12 mewn clwstwr hir.

Dail: Coesyn hir, y coesyn gyda bôn gwain llydan ac arno 3 deiliosen eliptaidd ar goesyn.

Ffrwythau: Capsiwl bach, bron yn sfferaidd.

Planhigion Tebyg: Mae gan bluddail y dŵr *(Hottonia palustris)*, planhigyn sy'n gyfyngedig i byllau yn nwyrain Lloegr, ddail pluog a llabedau petal di-flew.

I	Ch	M	E	M	M
G	A	M	H	T	Rh

Mandon las yr ŷd

Sherardia arvensis Field madder

Planhigyn unflwydd, llorweddol sy'n tyfu'n flêr, gyda choesyn 4 ongl wedi'i orchuddio â phigynnau mân iawn sy'n troi at i lawr. Mae'n blanhigyn cyffredin, tlws sy'n tyfu ar laswelltiroedd, cloddiau, lawntiau sydd ddim yn cael eu torri a chaeau âr, yn arbennig ar dir calch. Mae'n gyffredin dros y rhan fwyaf o Ynysoedd Prydain, er yn brin yng ngogledd yr Alban ac yn gyfyngedig dros ran helaeth o Iwerddon. Mae rhan gyntaf yr enw gwyddonol yn coffáu William Sherard (1659-1728), oedd yn Athro Botaneg nodedig yn Rhydychen.

FFEIL FFEITHIAU

Taldra: 10-40cm.

Blodau: Lelog, siâp twmffat neu dwndis gyda 4 llabed petal sy'n ymledu, 2-3mm ar draws, mewn clwstwr ac wedi eu cwmpasu gan 8-10 bract.

Dail: Cul, anhyblyg, siâp gwaywffon, pigfain, mewn sidell o 4-6.

Ffrwythau: 2 labed, blew bras, gyda dannedd calycs parhaol yn goron ar eu pen.

Planhigion Tebyg: Mae'r mandon fach *(Asperula cynanchica)* yn blanhigyn mwy, lluosflwydd, gyda 2-4 deilen mewn sidell a heb fractau o amgylch y blodau.

I	Ch	M	E	M	M
G	A	M	H	T	Rh

Briwydd bêr

Galium odoratum Sweet woodruff

Planhigyn lluosflwydd, bron yn ddi-flew, gyda choesynnau sy'n ymledu dan y ddaear a choesynnau unionsyth, heb ganghennau, 4 ongl, deiliog. Mae'n gyffredin mewn coedlannau a mannau cysgodol ar bridd calchog, yn arbennig ble mae'r pridd fymryn yn llaith ac mae dail sy'n pydru. Ar ôl ei sychu mae'r planhigyn yn arogleuo fel gwair newydd ei dorri ac ers talwm roedd yn boblogaidd ar gyfer stwffio matresi, ei daenu ar lawr ac i roi arogl da ar lieiniau. Mae'n donig ar gyfer y stumog ac mae wedi cael ei ddefnyddio i roi blas ar ddiodydd; mae'n dal i fod yn blanhigyn poblogaidd ar gyfer gerddi bwthyn.

FFEIL FFEITHIAU

Taldra: 10-25cm.

Blodau: Hufennog wyn, 4-7mm ar draws, siâp twmffat neu dwndis, gyda 4-5 llabed petal sy'n ymledu, mewn clystyrau cromennog ar goesyn hir.

Dail: Siâp gwaywffon, sgleiniog, hyd at 5 cm o hyd, mewn sidelli o 6-9.

Ffrwythau: Bychan bach, 2 labed wedi'u gorchuddio gan flew siâp bachyn.

Planhigion Tebyg: Mae gan aelodau eraill o deulu'r friwydden flodau gwyn, coesyn canghennog a chlystyrau blodau hwy neu'n fwy canghennog.

I	Ch	M	E	M	M
G	A	M	H	T	Rh

Briwydd felen

Galium verum Lady's bedstraw

Planhigyn lluosflwydd, tlws, blew mân, unionsyth neu'n flerdwf gyda choesynnau sy'n ymledu dan y ddaear. Planhigyn cyffredin ar laswelltir sych, cloddiau, twyni tywod, traethau graean bras, weithiau mewn mynwentydd ac ar lawntiau, yn arbennig ar dir calch. Defnyddid gwair a wnaed gyda'r planhigyn defnyddiol hwn i stwffio matresi, nid yn unig am fod arogl braf arno ond hefyd am ei fod yn cadw chwain a fermin arall draw. Arferid defnyddio'r friwydd felen fel ceuled wrth gawsio. Ceir lliwur coch o'r coesyn tanddaearol.

FFEIL FFEITHIAU

Taldra: 10-120cm.

Blodau: Melyn, peraroglus, 2-3.5mm ar draws, gyda 4 llabed petal ymledol, mewn clystyrau canghennog, trwchus, hir.

Dail: Cul iawn, 1 wythïen, pigfain, mewn sidelli o 8-12.

Ffrwythau: 2 labed, llyfn, 1-1.5mm o hyd.

Planhigion Tebyg: Mae'r mandon fach *(Asperula cynanchica)* yn blanhigyn mwy, lluosflwydd, gyda 2-4 deilen mewn sidell a blodau pinc neu wyn. Mae gan friwydd y clawdd (t. 140) flodau gwyn.

I	Ch	M	E	M	M
G	A	M	H	T	Rh

Briwydd y clawdd

Galium mollugo Hedge bedstraw

Planhigyn lluosflwydd, unionsyth neu flerdwf, gydag ymledyddion hir dan y ddaear; mae'r coesynnau'n aml yn flewog ond nid yn bigog. Planhigyn cyffredin sy'n tyfu ar laswelltir sych, llennyrch mewn coedlannau a chloddiau. Mae gan holl aelodau teulu'r friwydden luosflwydd flodau gwyn, ac eithrio'r friwydd felen (t.139) sydd â blodau melyn, ac maent yn grŵp anodd gwahaniaethu rhyngddynt. Ambell dro ceir croesiad gyda'r friwydd felen pan fydd y ddau blanhigyn yn tyfu yn ymyl ei gilydd, ac fe fydd blodau melyn golau gan y croesiad.

FFEIL FFEITHIAU

Taldra: 30-160cm.

Blodau: Gwyn, 2-3mm ar draws, gyda 4 llabed petal ymledol, mewn clystyrau â sawl cangen, llac.

Dail: Cul, hirgul, pigfain, gydag ymylon pigog, garw, mewn sidelli o 6-8.

Ffrwythau: 2 labed, garw, gwawr borffor neu lwyd, 1-2mm o hyd.

Planhigion Tebyg: Y friwydd wen *(Galium saxatile)* sy'n tyfu ar rostir a phorfa ar bridd gwael; nid yw'n fwy na 35cm o uchder, gyda choesynnau llorweddol a dail mewn sidelli o 4-6.

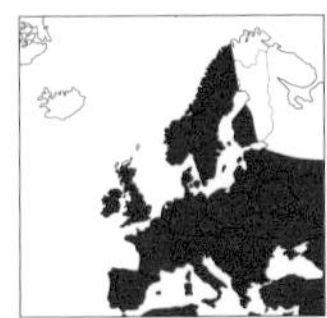

I	Ch	M	E	M	M
G	A	M	H	T	Rh

Llau'r offeiriad

Galium aparine Cleavers

FFEIL FFEITHIAU

Taldra: 50-180cm.

Blodau: Gwyrdd/wyn neu wyn, 1.5-2mm ar draws, gyda 4 llabed petal ymledol, mewn clystyrau llac o ychydig flodau.

Dail: Cul, hirgul, pigfain, pigog gyda blew garw â bach arnynt, mewn sidelli o 6-9.

Ffrwythau: 2 labed, wedi eu gorchuddio'n drwchus gyda blew garw â bach arnynt. tua 3-6mm o hyd.

Planhigion Tebyg: Mae briwydd y clawdd (t. 140) yn blanhigyn lluosflwydd gyda choesynnau llyfn yn hytrach na rhai â blew garw, a chlystyrau trwchus o flodau gwyn.

Planhigyn unflwydd, gyda blew garw, coesynnau 4 ongl, sy'n sgrialu neu'n dringo dros brysgwydd, ochrau coedlannau, cloddiau, tir âr a thraethau graean bras. Mae'r ffrwythau sydd â blew garw yn glynu'n rhwydd wrth ddillad a ffwr anifeiliaid. Mae'n ffordd dda dros ben o wasgaru'r had. Mae'r planhigyn cyfan yn glynu at ddillad fel felcro ac yn dangos sut mae'r blew garw yn cynnal y planhigyn. Mae'n rhywogaeth amrywiol: mae planhigion sydd wedi tyfu ar dir âr yn aml gyda ffrwythau llai.

I	Ch	M	E	M	M
G	A	M	H	T	Rh

Cwlwm y cythraul

Convolvulus arvensis Field bindweed

Planhigyn lluosflwydd, main, hardd, yn aml yn flewog, yn codi o system wreiddio ganghennog gyda nifer o goesynnau sy'n troelli'n groes i'r cloc, ac sy'n diferu o sudd gwyn llaethog pan gânt eu torri. Mae'n blanhigyn cyfarwydd ar dir âr a thir anial, hefyd ar laswellt ac ar hyd ffensys weiar-netin. Gall hyd yn oed ddarnau bach o'r gwreiddiau dwfn dyfu'n blanhigion newydd. Mae'r blodau'n cau yn ystod tywydd gwlyb a phan nad oes haul ar ddiwedd y pnawn. Rhywogaeth amrywiol iawn.

FFEIL FFEITHIAU

Taldra: 50-200cm.

Blodau: Gwyn, neu binc gyda llinellau gwyn, siâp twmffat neu dwndis, 15-35 mm ar draws, fymryn yn beraroglus, 1-3 ar goesynnau sydd bron mor hir â'r dail.

Dail: Hirgul, triongl, siâp gwaywffon neu saeth.

Ffrwythau: Capsiwlau sydd bron yn sfferaidd, 2 gell.

Planhigion Tebyg: Mae taglys y perthi (t. 143) yn blanhigyn mwy gyda blodau gwyn 3-6cm ar draws.

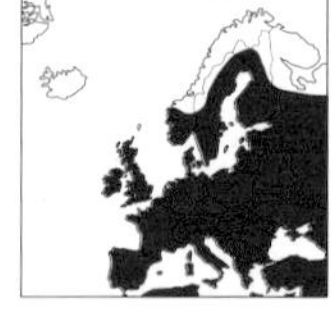

Taglys y perthi

Calystegia sepium Hedge bindweed

Dringwr lluosflwydd, gyda choesynnau gwydn, troellog sy'n diferu o sudd gwyn llaethog pan gânt eu torri. Planhigyn a welir yn aml ar ymylon coedydd, prysgwydd, corsydd a thir anial ac yn aml iawn yn chwyn yn yr ardd. Ambell dro gwelir cloddiau, gwrychoedd, ffensys weiar-netin a gwifrau sy'n dal polion telegraff wedi eu gorchuddio gan dyfiant y planhigyn hwn. Rhywogaeth amrywiol; mae isrywogaeth a gyflwynwyd gyda thyfiant deiliog mwy egnïol a blodau mwy, sy'n 6-8mm ar draws, a bractiau chwyddedig iawn wrth y bôn.

I	Ch	M	E	M	M
G	A	M	H	T	Rh

FFEIL FFEITHIAU

Taldra: 1-3m.

Blodau: Gwyn, weithiau binc neu binc a gwyn, siâp twmffat neu dwndis, 3-6cm ar draws, dim perarogl; 2 fract, weithiau'n chwyddedig, wrth y bôn.

Dail: Siâp calon neu saeth.

Ffrwythau: Capsiwlau sfferaidd 1 gell, wedi eu hamgáu gan sepalau parhaol.

Planhigion Tebyg: Mae cwlwm y cythraul (t. 142) yn blanhigyn llai gyda blodau gwyn neu binc 15-35mm ar draws; mae gan y taglys arfor *(Calystegia soldanella)* goesynnau byrrach, dail crwn a blodau pinc ac fe'i ceir ar dwyni tywod.

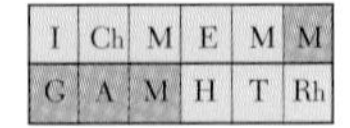

Gwiberlys

Echium vulgare Viper's bugloss

Planhigyn unionsyth, unflwydd neu eilflwydd, gyda blew garw sy'n tyfu ar laswelltir sych, ochrau'r ffyrdd, rwbel, sialc neu raean, a thraethau graean bras. Cyffredin mewn rhai ardaloedd yn Lloegr, mae'n brinnach yn yr Alban ac mae i'w gael yn Iwerddon yn bennaf wrth yr arfordir dwyreiniol. Mae'r blodau'n drawiadol gyda'u blagur porffor/goch; pan fo cnwd ohonynt gallant roi lliw glas arbennig iawn, sy'n lliw digon anghyffredin yn ein blodau gwylltion. Nid yw'n drafferthus ym Mhrydain ond mae'n niwsans fel chwyn yn yr Unol Daleithiau ble y cafodd ei gyflwyno.

FFEIL FFEITHIAU

Taldra: 30-100cm.

Blodau: Glas, gyda blagur porffor/goch, tiwbaidd, 1-2cm o hyd, mewn clystyrau 1 ochrog, crwm yn ffurfio sbigyn tal; 4-5 briger, y rhai hiraf i'w gweld.

Dail: Eliptaidd neu siâp strap, y rhai uchaf yn gulach.

Ffrwythau: 4 cneuen fach.

Planhigion Tebyg: Mae gan dafod yr ych *(Borago officinalis)* ddail siâp hirgrwn neu siâp gwaywffon gyda 5 segment sy'n ymledu'n eang, mewn clystyrau llac; mae wedi dianc o'r ardd.

I	Ch	M	E	M	M
G	A	M	H	T	Rh

Cwmffri neu Cyfardwf

Symphytum officinale Comfrey

Planhigyn lluosflwydd, unionsyth, nobl, canghennog, blew bras gyda choesynnau adeiniog yn ffurfio clystyrau mawr, blêr ym môn y clawdd, ochrau'r ffyrdd, ffosydd, glaswelltir llaith a glannau nentydd ac afonydd. Mae'n egnïol a gwerthfawr; yn ddiweddar mae'r planhigyn hwn a rhywogaethau sy'n perthyn wedi cael statws cwlt bron gan iachawyr llysieuol a garddwyr. Mae'r cwmffri yn gostwng llid ac yn help i wella, a gellir bwyta'r dail fel sbigoglys neu wedi'u ffrio mewn cytew. Mae'r planhigyn i gyd yn gwneud compost sy'n gyfoethog mewn mwynau.

FFEIL FFEITHIAU

Taldra: 50-120cm.

Blodau: Gwyn neu fioled/porffor, pinc neu las, tiwbaidd, 12-18mm o hyd, mewn clystyrau 1 ochrog.

Dail: Yn siâp gwaywffon fwy neu lai, pigfain, y rhai uchaf heb goesynnau.

Ffrwythau: 4 cneuen fach llyfn, du, sgleiniog.

Planhigion Tebyg: Y mwyaf cyffredin o'r cwmffri, y rhan fwyaf wedi dianc o'r ardd. Mae'r cwmffri clorog *(Symphytum tuberosum)*, sydd hyd at 40cm o daldra gyda blodau melyn golau, yn gyffredin mewn coedydd yng ngogledd Prydain.

I	Ch	M	E	M	M
G	A	M	H	T	Rh

Tafod y bytheiad

Cynoglossum officinale Hound's-tongue

Planhigyn eilflwydd, unionsyth, yn feddal flewog, deiliog gyda choesynnau adeiniog; mae'n gyffredin, ond yn gyfyngedig, mewn mannau agored, caregog, glaswelltog a thwyni tywod, yn arbennig ar dir calch a thywod. Mae'n gyffredin yng Nghymru a Lloegr ond yn brin yn yr Alban ac Iwerddon. Mae'n arogleuo'n drwm o lygod pan gleisir ef (y cemegyn a ryddheir yw asetamid) ac yn annymunol ei flas i anifeiliaid sy'n pori; am y rheswm hwn, gwelir digonedd ohono weithiau o gwmpas tyllau cwningod. Mae'r ffrwythau pigog yn dal yn rhwydd wrth ddillad a ffwr anifeiliaid, ac felly'n gwasgaru'r had.

FFEIL FFEITHIAU

Taldra: 30-60cm.

Blodau: Coch/porffor, 5-6mm ar draws, mewn clystyrau 1 ochrog.

Dail: Hirgul neu siâp gwaywffon, gyda blew trwchus, llwyd, sidanaidd.

Ffrwythau: 4 o gnau bach, siâp ŵy, wedi'u fflatio, a'u gorchuddio gan bigynnau byr gyda bach arnynt.

Planhigion Tebyg: Mae gan dafod yr ych *(Borago officinalis)* flodau glas, mwy, mewn clystyrau llac; mae wedi dianc o'r ardd.

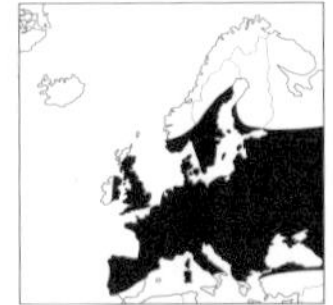

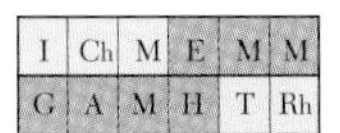

Sgorpionllys y maes

Myosotis arvensis Field forget-me-not

Planhigyn unflwydd, unionsyth sy'n tyfu ar dir wedi ei droi, yn arbennig tir âr. Mae blodau'r sgorpionllys yn dangos yn dda nodweddion y teulu hwn. Mae'r clystyrau yn fyr ac yn gywasgedig yn y blagur, ond mae'r prif goesyn yn ymestyn ac yn crymu fel mae'r blodau'n agor i gynhyrchu siâp sy'n atgoffa rhywun o gynffon y sgorpion. O hwn y cawn yr enw, sydd yr un mewn Ffrangeg ac Almaeneg. Enwau Cymraeg eraill yw gaferwlydd yr ŷd a nad fi'n angof.

FFEIL FFEITHIAU

Taldra: 5-25cm.

Blodau: Glas golau, gyda llygaid melyn, siâp soser, 3-5mm ar draws, mewn clystyrau heb ddail, 1 ochrog, gyda phen fymryn yn wastad.

Dail: Eliptaidd, y rhai uchaf yn llai, siâp gwaywffon.

Ffrwythau: 4 cneuen fach oddi fewn i'r calycs.

Planhigion Tebyg: Mae gan ddau sgorpionllys sy'n tyfu ar dir agored, sych flodau 2-3mm ar draws: blodau glas sydd gan y sgorpionllys cynnar *(Myosotis ramosissima)*; mae gan y sgorpionllys amryliw *(Myosotis discolor)* flodau sy'n agor yn felyn ac yn newid yn las.

I	Ch	M	E	M	M
G	A	M	H	T	Rh

Sgorpionllys y gors

Myosotis scorpioides Water forget-me-not

Planhigyn lluosflwydd, unionsyth, di-flew neu ag ychydig o flew, gwyrdd golau gyda ymledyddion neu stolon. Mae'n gyffredin ac yn aml ceir digonedd ger ac mewn nentydd, mewn corsydd a choedydd gwlyb, yn arbennig ar lwybrau ac mewn llennyrch, a gweirgloddiau llaith. Gall y planhigyn hwn fod yn hardd iawn pan fo yn ei flodau. Mae aelodau tebyg eraill o'r sgorpionllys i'w gweld mewn mannau gwlyb, er enghraifft, y sgorpionllys ymlusgol *(Myosotis secunda)* sydd i'w gael mewn corsydd asidig yn arbennig yng ngogledd a gorllewin Prydain ac yn Iwerddon. Mae hwn yn fwy blewog a chanddo flodau 6-8mm ar draws.

FFEIL FFEITHIAU

Taldra: 10-40cm.

Blodau: Siâp soser, glas golau gyda llygad melyn, yn anaml yn binc neu'n wyn, 8-10mm ar draws, mewn clystyrau heb ddail, 1 ochrog, pen gwastad.

Dail: Mewn parau gyferbyn â'i gilydd, siâp gwaywffon neu lwy, pŵl, y rhai uchaf yn llai.

Ffrwythau: 4 cneuen fach, sgleiniog o fewn y calycs.

Planhigion Tebyg: Mae'r dannedd byr, triongl ar y calycs yn gwahaniaethu'r planhigyn hwn oddi wrth aelodau eraill o'r sgorpionllys sy'n tyfu mewn mannau gwlyb.

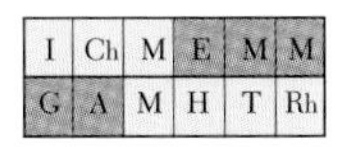

I	Ch	M	E	M	M
G	A	M	H	T	Rh

Glesyn y coed

Ajuga reptans Bugle

Planhigyn lluosflwydd, unionsyth gydag ymledyddion hir; mae'r coesynnau'n flewog ar yr ochrau gyferbyn â'i gilydd wrth bob pâr o ddail. Mae'n gyffredin ac yn tyfu dan goed, yn arbennig ar lwybrau a llennyrch, gwrychoedd a gweirgloddiau llaith. Mae gan y rhan uchaf o'r coesyn a'r dail wawr las yr un fath â'r blodau. Gwnaed defnydd helaeth ohono fel llysieuyn llesol, yn bennaf i atal llif y gwaed. Yn boblogaidd yng ngardd y bwthyn, y creigle a'r borderi, yn arbennig yr amrywiadau gyda dail efydd a dail amryliw. Enwau Cymraeg eraill arno yw bual, golchenid a'r corn glas.

FFEIL FFEITHIAU

Taldra: 10-40cm.

Blodau: Glas, yn anaml yn binc neu'n wyn, 14-18mm, mewn clystyrau rhwng bractau deiliog, tiwbaidd, 1-2cm o hyd, mewn sbigyn tal.

Dail: Mewn parau gyferbyn â'i gilydd, hirgrwn, ar goesyn, yn aneglur ddanheddog, y rhai uchaf yn llai.

Ffrwythau: 4 cneuen fach.

Planhigion Tebyg: Mae'r blodau glas yn ffordd o wahaniaethu glesyn y coed oddi wrth aelodau eraill o deulu'r farddanhadlen;mae gan y cycyllog (t.151) flodau mewn parau mewn sbigyn, 1 ochrog, llac.

I	Ch	M	E	M	M
G	A	M	H	T	Rh

Chwerwlys yr eithin

Teucrium scorodonia Wood sage

Llwyn bach, unionsyth, canghennog, aflêr sy'n tyf ar rostir, prysgwydd, a chloddiau sych, tywodlyd neu galchog a thir creigiog. Mae'n tyfu ar bridd calchog a thir asidig, ac mae ymchwil wedi dangos fod addasiad planhigion i dyfu ar y naill math o di neu'r llall yn cael ei reoli'n enetegol. Mae'r blodau'n ymddangos yn ddi-liw, ond mae ganddyn ffurfiant taclus ac weithiau bydd marciau coch tlw arnynt. Arferid defnyddio'r planhigyn i roi blas ar gwrw ac mae wedi cael ei ddefnyddio fel llysieuyn llesol. Enwau Cymraeg eraill yw baddon y coed, derlys y goedwig, derwen y ddaear a triagl y Cymro.

FFEIL FFEITHIAU

Taldra: 20-50cm.

Blodau: Gwyrdd/felyn, weithiau'n wyn neu â marciau coch, 8-10mm o hyd, mewn parau mewn clystyrau llac, tebyg i sbigynnau; calycs blewog.

Dail: Mewn parau gyferbyn â'i gilydd, triongl i hirgrwn, gyda bôn siâp calon.

Ffrwythau: 4 cneuen fach.

Planhigion Tebyg: Mae'r farddanhadlen felen (t. 155) yn blanhigyn ymledol a blodau mwy sy'n agor ddiwedd y gwanwyn.

I	Ch	M	E	M	M
G	A	M	H	T	Rh

Cycyllog

Scutellaria galericulata Skullcap

Planhigyn lluosflwydd, unionsyth, melfedaidd gydag ymledyddion sy'n gwreiddio ac yn tyfu mewn corsydd, glannau afonydd a nentydd, coedydd a gweirgloddiau llaith. Mae'n gyffredin, ond yn gyfyngedig yn nwyrain yr Alban ac yn Iwerddon. Mae'r cycyllog bach (*Scutellaria minor*) yn blanhigyn llai hyd at 15 cm o uchder, gyda dail sydd fwy neu lai heb ddannedd a smotiau porffor arnynt, blodau lliw lelog ac fe'i ceir ar rostiroedd a gweunydd llaith, yn bennaf yn y gorllewin. Ambell dro mae'n croesi gyda'r cycyllog i ffurfio hybrid.

FFEIL FFEITHIAU

TALDRA: 10-50cm.

BLODAU: Glas gyda gwefus â smotiau gwyn, 1-2cm o hyd, mewn parau mewn sbigyn 1 ochrog, llac.

DAIL: Mewn parau gyferbyn â'i gilydd, hirgrwn neu bron yn siâp gwaywffon, gydag ychydig o ddannedd crynion.

FFRWYTHAU: 4 cneuen fach.

PLANHIGION TEBYG: Mae gan lesyn y coed (t. 149) fwy o flodau glas yn glwstwr mewn sbigyn mwy trwchus.

I	Ch	M	E	M	M
G	A	M	H	T	Rh

Y benboeth

Galeopsis tetrahit Hemp-nettle

Planhigyn unflwydd, gyda blew bras, coesynnau sgwâr gyda blew ar ochrau gyferbyn â'i gilydd; planhigyn cyffredin er yn gyfyngedig i'w weld mewn coedlannau agored, rhostir, corsydd a thir âr. Mae'n llawer llai cyffredin fel chwyn ar dir âr nag a fu. Mae'r planhigyn hwn yn enwog ymhlith esblygwyr planhigion fel y rhywogaeth gyntaf a gafodd ei hail-greu mewn gardd fotaneg. Gwnaed hyn drwy groesiad, yn cael ei ddilyn gan ddyblu nifer y genynnau o'r ddwy rywogaeth y credid i'r hybrid darddu ohonynt yn y gwyllt. Mae yna bump rhywogaeth debyg o'r benboeth, y rhan fwyaf yn anghyffredin.

FFEIL FFEITHIAU

Taldra: 10-50cm.

Blodau: Pinc neu wyn, weithiau'n felyn gwan, gyda marciau tywyllach, 15-20mm o hyd, mewn sidelli trwchus; calycs â blew garw.

Dail: Mewn parau gyferbyn â'i gilydd, hirgrwn neu'n siâp gwaywffon fwy neu lai, pigfain, yn fras ddanheddog.

Ffrwythau: 4 cneuen fach.

Planhigion Tebyg: Mae'r farddanhadlen goch (t.154) yn blanhigyn llai gyda blodau pinc/porffor a dannedd calycs pigfain, ond heb fod â blew garw.

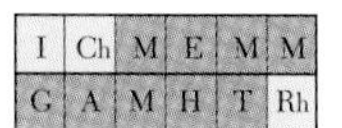

Marddanhadlen wen

Lamium album White dead-nettle

Planhigyn lluosflwydd, unionsyth, blewog sy'n tyfu ar ochrau'r ffyrdd, cloddiau, tir anial cysgodol a gerddi. Mae i'w weld drwy Brydain ond yn brin neu'n gyfyngedig yng ngogledd a gorllewin yr Alban ac yng ngorllewin a de-orllewin Iwerddon, lle cafodd ei gyflwyno, mae'n debyg. Fel rheol, tyf yn agos at adeiladau, ffyrdd neu lwybrau. Un o'r enwau lleol yn Saesneg ar y planhigyn yw *'Adam-and-Eve-in-the-Bower'* sy'n cyfeirio at y pâr o frigerau du a melyn sy'n gorwedd ochr yn ochr dan y wefus uchaf cromennog. Mae'r blodau'n atyniad i gacwn. Nid oes blew sy'n llosgi gan y farddanhadlen ac nid yw'n perthyn i'r danadl poethion (t. 12).

FFEIL FFEITHIAU

Taldra: 20-80cm.

Blodau: Hufennog wyn, 18-25mm o hyd, mewn sidelli amlwg, cywasgedig; mae gwefus ucha'r corola yn gromennog; dannedd y calycs fel blew caled.

Dail: Mewn parau gyferbyn â'i gilydd, triongl i hirgrwn, pigfain, yn fras ddanheddog.

Ffrwythau: 4 cneuen fach.

Planhigion Tebyg: Mae gan y farddanhadlen felen (t. 155) flodau melyn.

I	Ch	M	E	M	M
G	A	M	H	T	Rh

Yn blodeuo gydol gaeafau mwyn

Marddanhadlen goch

Lamium purpureum Red dead-nettle

Planhigyn unflwydd, melfedaidd, sy'n esgynnol neu'n ymledol, yn aromatig wedi iddo gael ei gleisio, ac mae gwawr borffor yn aml ar y planhigyn. Mae'n hollbresennol ar dir âr a thir anial ac yn chwyn cyfarwydd yn yr ardd. Mae'r blodau'n ddeniadol iawn i gacwn. Dyma un o'r blodau cyntaf i ymddangos yn hwyr yn y gaeaf ac yn gynnar yn y gwanwyn, ynghyd â gwlydd y dom (t. 25), pwrs y bugail (t. 47) a'r creulys (t. 215). Nid oes blew sy'n llosgi gan y farddanhadlen ac nid yw'n perthyn i'r danadl poethion (t. 12).

FFEIL FFEITHIAU

Taldra: 10-40cm.

Blodau: Pinc/porffor, yn anaml yn binc golau neu'n wyn, 10-18mm o hyd, mewn sidelli amlwg; blaen pigfain ar ddannedd y calycs, dim blew bras.

Dail: Mewn parau gyferbyn â'i gilydd, hirgrwn, siâp calon wrth y bôn, pigfain, danheddog.

Ffrwythau: 4 cneuen fechan.

Planhigion Tebyg: Mae'r benboeth (t. 152) yn blanhigyn mwy, ac yn fwy garw gyda blodau pinc a dannedd calycs fel blew bras.

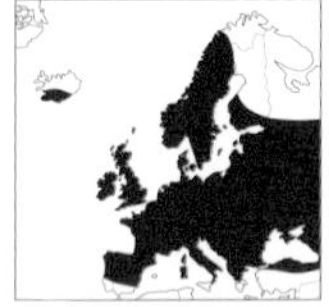

I	Ch	M	E	M	M
G	A	M	H	T	Rh

Marddanhadlen felen

Lamiastrum galeobdolon Yellow archangel

Planhigyn lluosflwydd, unionsyth, nodedig, gydag ymledyddion deiliog yn aml yn ffurfio clystyrau eithaf mawr mewn coedydd, gorchudd o goed a chloddiau cysgodol. Mae'n gyffredin yng Nghymru a Lloegr, ond yn brin yn yr Alban ac i'w gael mewn ychydig leoedd yn unig ger arfordir dwyreiniol Iwerddon. Mae'n tueddu i dyfu ar dir calchog. Mae amrywiad sy'n tyfu yn yr ardd gyda dail a smotiau gwyn arnynt ac ymledyddion pellgyrhaeddol. Mae hwn wedi dianc o'r ardd ac yn gyffredin ar gloddiau cysgodol ac ar ochrau lonydd. Enwau eraill yw aurddynadlen, danat melyn, dryned marw melyn a llysiau yr archangel.

FFEIL FFEITHIAU

Taldra: 20-50cm.

Blodau: Melyn, gyda marciau coch/frown, 15-25 mm o hyd, 6-10 mewn sidelli amlwg; brigerau blewog.

Dail: Mewn parau gyferbyn â'i gilydd, hirgrwn i siâp gwaywffon, ar goesyn, pigfain, danheddog.

Ffrwythau: 4 cneuen fechan.

Planhigion Tebyg: Mae'r brigerau blewog yn gwahaniaethu'r farddanhadlen hon oddi wrth aelodau eraill o'r teulu. Mae gan y farddanhadlen wen (t. 153) flodau gwyn.

Marddanhadlen ddu

Ballota nigra Black horehound

I	Ch	M	E	M	M
G	A	M	H	T	Rh

FFEIL FFEITHIAU

Taldra: 30-80cm.

Blodau: Porffor pŵl, 12-18mm o hyd, mewn sidelli trwchus ond wedi eu lleoli gyda bylchau pendant ar hyd y coesyn; calycs siâp twmffat neu dwndis.

Dail: Mewn parau gyferbyn â'i gilydd, hirgrwn neu siâp calon, ar goesyn, yn fras ddanheddog.

Ffrwythau: 4 cneuen fach.

Planhigion Tebyg: Ychydig o arogl sydd gan y brenhinllys gwyllt *(Clinopodium vulgare)* a llai o flodau, ond mae'r blodau porffor/pinc ychydig yn fwy; mae'n tyfu fel rheol ar laswelltir neu gloddiau ar dir calch.

Planhigyn lluosflwydd, unionsyth, blewog sy'n edrych braidd yn flêr, gyda choesynnau deiliog, ac mae'r planhigyn ag arogl drwg arno pan gaiff ei gleisio. Mae i'w weld ar dir anial a thir wedi'i droi, ar hyd cloddiau, ochrau llwybrau a ffyrdd, ac weithiau mewn mannau gweddol gysgodol. Mae'n gyffredin yng Nghymru a Lloegr, ond yn absennol o'r rhan fwyaf o'r Alban ac yn gyfyngedig iawn yn Iwerddon ble y cafodd ei gyflwyno. Mae llwyd y cŵn *(Marrubium vulgare White horehound)*, sydd â dail gwyn, gwlanog a blodau bach, anamlwg disylw, yn llai cyffredin.

I	Ch	M	E	M	M
G	A	M	H	T	Rh

Cribau San Ffraid

Stachys officinalis Betony

Planhigyn lluosflwydd, unionsyth, heb ganghennau, yn amrywiol flewog sy'n tyfu mewn coedlannau agored, prysgwydd, rhostir, glaswelltir sych a chlogwyni'r arfordir. Mae'n gyffredin mewn rhai ardaloedd yng Nghymru a Lloegr ond yn brin yn yr Alban ac Iwerddon. Ar arfordir agored de-orllewin Lloegr, corblanhigion a geir yn aml. Bydd planhigion bach o'r math hwn, hefyd gyda blodau pinc, yn aml yn cael eu plannu yn yr ardd. Mae cribau San Ffraid wedi cael eu defnyddio fel llysiau llesol ers talwm iawn oherwydd eu defnyddioldeb wrth wella ac fel sedatif.

FFEIL FFEITHIAU

Taldra: 10-100cm.

Blodau: Lliw coch/porffor cyfoethog, anaml yn binc neu'n wyn, 12-18mm o hyd, llawer, mewn sbigyn trwchus, silindraidd.

Dail: Mewn parau gyferbyn â'i gilydd, y rhan fwyaf yn y bôn, hirgul neu'n gul hirgrwn, gyda bôn siâp calon, yn fras ddanheddog.

Ffrwythau: 4 cneuen fach.

Planhigion Tebyg: Mae gan friwlys y gors (t. 158) ddail heb goesyn; mae gan briwlys y gwrych (t. 159) arogl cryf pan gaiff ei gleisio. Mae'r ddau yn fwy nobl gyda choesynnau mwy deiliog.

I	Ch	M	E	M	M
G	A	M	H	T	Rh

FFEIL FFEITHIAU

Taldra: 20-120cm.

Blodau: Pinc/porffor, 12-15mm o hyd, mewn sidelli, yn ffurfio sbigyn trwchus, siâp pyramid.

Dail: Mewn parau gyferbyn â'i gilydd, siâp gwaywffon, coesyn byr neu'n ddigoes, yn fras ddanheddog.

Ffrwythau: 4 cneuen fach.

Planhigion Tebyg: Mae gan friwlys y gwrych (t. 159). arogl cryfach pan gaiff ei gleisio, coesynnau solet, dail â choesyn a blodau coch tywyllach.

Briwlys y gors

Stachys palustris Marsh woundwort

Planhigyn lluosflwydd, unionsyth, ymledol gyda gwreiddgyff fel cloronen a choesynnau gwag; mae'n gyffredin mewn corsydd, ochrau llynnoedd, pyllau ac afonydd, ffosydd a chaeau gwlyb, ac fel chwyn. Yn Iwerddon mae'n llai cyfyngedig i feysydd gwlyb ac mae'n aml yn chwyn ar dir sydd wedi ei droi, tir âr a thir pori. Mae wedi cael ei ddefnyddio, ynghyd ag aelodau eraill o'r teulu hwn, i atal llif y gwaed. Mae arogl arno pan gaiff ei gleisio, ond dim hanner cynddrwg â briwlys y gwrych (t. 159).

I	Ch	M	E	M	M
G	A	M	H	T	Rh

Briwlys y gwrych

Stachys sylvatica Hedge woundwort

Planhigyn lluosflwydd, unionsyth, yn fras flewog, arogl anghynnes, gyda gwreiddgyff ymledol a choesynnau solet. Mae'n blanhigyn cyffredin mewn coedlannau, gwrychoedd, mannau cysgodol, tir âr sydd wedi ei adael a gerddi blêr. Mae gan y planhigyn cyfan arogl cryf pan gaiff ei gleisio neu ei dorri. Mae wedi cael ei ddefnyddio, fodd bynnag, fel sawl aelod arall o'r teulu, i atal llif gwaed ac i wella clwyfau. Mae hwn yn flodyn nodweddiadol o fannau cysgodol yn ystod gwres yr haf.

FFEIL FFEITHIAU

Taldra: 50-120cm.

Blodau: Coch/porffor, gyda smotiau gwyn, anaml yn binc neu'n wyn, 13-18 mm o hyd, mewn sidelli, yn ffurfio sbigyn trwchus, siâp pyramid.

Dail: Mewn parau gyferbyn â'i gilydd, hirgrwn, ar goesyn, pigfain, yn fras ddanheddog.

Ffrwythau: 4 cneuen fach.

Planhigion Tebyg: Mae gan friwlys y gors (t. 158) goesynnau gwag, dail culach heb goesyn a blodau mwy pinc; mae'n tyfu mewn lleoedd llai cysgodol.

I	Ch	M	E	M	M
G	A	M	H	T	Rh

Eidral

Glechoma hederacea Ground-ivy

FFEIL FFEITHIAU

Taldra: 10-50cm.

Blodau: Fioled dwfn, smotiau tywyll, yn anaml yn binc neu'n wyn, 15-25mm o hyd, 3-6 mewn sidelli.

Dail: Mewn parau gyferbyn â'i gilydd, siâp calon neu aren, ar goesyn, gyda ochrau siâp sgolop.

Ffrwythau: 4 cneuen fach.

Planhigion Tebyg: Mae gan y feddyges las (t. 161) flodau glas/porffor, ac mae'n blodeuo'n ddiweddarach yn y flwyddyn.

Planhigyn lluosflwydd, gyda blew meddal, braidd yn fain a thenau, weithiau bydd yr holl blanhigyn gyda gwawr borffor, coesynnau sy'n gwreiddio ac yn ymledu ymhell. Digonedd ohono yn aml mewn coedydd, gwrychoedd a chloddiau cysgodol, mynwentydd, gerddi blêr a mannau glaswelltog. Mae gan rai planhigion flodau benywaidd yn ogystal â blodau deuryw, er mwyn sicrhau croesbeillio. Mae'n blanhigyn â blas chwerw arno yr arferid ei ddefnyddio mewn meddyginiaeth ac i flasu a chadw cwrw. Dyma un o'r blodau cyntaf i agor yn y gwanwyn, ond sydd ar ei orau ym mis Mai.

Y feddyges las

Prunella vulgaris Self-heal

Planhigyn unflwydd, sy'n ymledol neu'n esgynnol, eilflwydd neu'n fyrhoedlog luosflwydd; mae'n gyffredin mewn coedydd, tir gwastraff ac ochrau'r ffyrdd, glaswelltir tamp neu sych, ar dwyni tywod ac yn aml ar lawntiau. Mae'n rhywogaeth amrywiol iawn; mae corblanhigion o'r lawnt yn cadw eu nodweddion hyd yn oed pan gant eu tyfu ar bridd da o'r ardd. Mae'r bractau porffor, parhaol sydd ar y sbigynnau'n nodedig hyd yn oed pan fo'r blodau wedi gwywo. Mae'r enw yn adlewyrchu hanes hir a defnyddiol i'r planhigyn fel llysieuyn llesol a ddefnyddid ar gyfer atal llif y gwaed a gwella clwyfau.

I	Ch	M	E	M	M
G	A	M	H	T	Rh

FFEIL FFEITHIAU

Taldra: 5-50 cm.

Blodau: Glas/porffor cyfoethog, weithiau fioled, pinc neu wyn, 12-15 mm o hyd, mewn sbigyn silindraidd, trwchus; bractau porffor.

Dail: Mewn parau gyferbyn â'i gilydd, hirgrwn, ar goesyn, heb ddannedd neu fymryn yn ddanheddog.

Ffrwythau: 4 cneuen fach.

Planhigion Tebyg: Mae gan yr eidral (t. 160) flodau porffor, ac mae'n blodeuo'n gynharach yn y flwyddyn; blodau glas sydd gan glesyn y coed (t. 149) a'r cycyllog (t. 151).

Penrhudd

Origanum vulgare Majoram

Planhigyn lluosflwydd, aromatig, melfedaidd, yn ganghennog ar rannau uchaf y coesyn ac ychydig yn goediog tua'r bôn. Mae'n gyffredin ar laswelltir, prysgwydd ac ochrau coedlannau ar dir calch. Arferid ei ddefnyddio ers talwm i wneud te oedd i fod yn dda at nifer o anhwylderau. Mae'r penrhudd yn dal yn boblogaidd fel planhigyn yr ardd nid yn unig am ei fod yn berlysieuyn deniadol a defnyddiol, ond am ei fod hefyd yn denu glöynnod byw i'r ardd i fwydo. Mae gan yr amrywiadau o ardaloedd Môr y Canoldir a blennir mewn gerddi arogl a blas mwy siarp.

I	Ch	M	E	M	M
G	A	M	H	T	Rh

FFEIL FFEITHIAU

Taldra: 20-80cm.

Blodau: Porffor/fioled, 4-7mm o hyd, 2 wefus, mewn clwstwr top gwastad o bennau llac; bractau hirgrwn â gwawr borffor arnynt.

Dail: Mewn parau gyferbyn â'i gilydd, hirgrwn, ar goesyn, heb ddannedd neu'n fas ddanheddog.

Ffrwythau: 4 cneuen fach.

Planhigion Tebyg: Mae'r gruw (t. 163) yn llawer llai; ychydig o arogl sydd ar y brenhinllys gwyllt *(Clinopodium vulgare)* ac mae ganddo flodau porffor/pinc tua 20mm o hyd mewn sidelli wedi'u gosod yn gytbwys.

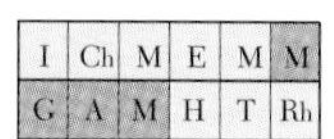

Gruw neu'r teim gwyllt

Thymus praecox Wild thyme

Planhigyn lluosflwydd, deniadol, yn aml yn flewog, sy'n ffurfio mat, gyda nifer fawr o ymledyddion sy'n gwreiddio. Mae braidd yn goediog wrth y bôn ac mae gan y coesynnau sgwâr flew ar y ddwy ochr gyferbyn â'i gilydd. Mae'n blanhigyn cyffredin ar laswelltir sych neu greigiog, rhostir, cloddiau heulog, clogwyni, twyni tywod ac weithiau lawntiau, yn arbennig ar dir calch ac wrth y môr. Gyda'r penrhudd (t. 162), mae'r planhigyn aromatig yma yn rhoi arogl nodweddiadol ac atgofus yr haf ar laswelltir calchog.

FFEIL FFEITHIAU

Taldra: 5-10cm.

Blodau: Coch/porffor neu binc, 3-4mm o hyd heb wefus uchaf, mewn clwstwr pen gwastad sfferaidd; calycs porffor.

Dail: Mewn parau gyferbyn â'i gilydd, eliptaidd neu siâp gwaywffon, 4-8mm, coesyn byr.

Ffrwythau: 4 cneuen fach.

Planhigion Tebyg: Mae'r penrhudd (t. 162) yn blanhigyn llawer mwy; mae brenhinllys gwyllt *(Clinopodium vulgare)* hefyd yn fwy, gydag ychydig o berarogl ac mae ganddo flodau porffor/pinc tua 20mm o hyd mewn sidelli wedi'u gosod yn gytbwys.

I	Ch	M	E	M	M
G	A	M	H	T	Rh

Llysiau'r sipsiwn

Lycopus europaeus Gipsywort

Planhigyn lluosflwydd, unionsyth, blewog, sy'n edrych fel mintys, ac yn ffurfio clystyrau drwy wreiddgyff ymledol ac ymledyddion; mae'n gyffredin ac yn blanhigyn amlwg mewn ffosydd, ochrau pyllau, nentydd, afonydd a chamlesi. Nid yw mor gyffredin yng ngogledd Prydain ac Iwerddon. Mae'r parau taclus o ddail sydd gyferbyn â'i gilydd yn rhoi yr olwg nodweddiadol sydd i'r planhigyn hwn. Mae'n rhoi lliwur du, a dyma, mae'n debyg, oedd ffynhonnell y sibrydion fod sipsiwn yn arfer ei ddefnyddio i liwio eu gwallt, er mwyn ychwanegu at eu hymddangosiad egsotig!

FFEIL FFEITHIAU

Taldra: 30-100cm.

Blodau: Siâp cloch, 3-4mm o hyd, gwyn gyda smotiau porffor, mewn sidelli a digon o le rhyngddynt; calycs blewog, hir; brigerau yn ymestyn o'r blodyn.

Dail: Mewn parau gyferbyn â'i gilydd, siâp gwaywffon, ar goesyn byr, danheddog tolciog, heb arogl pan gaiff ei gleisio.

Ffrwythau: 4 cneuen fach.

Planhigion Tebyg: Mae gan fintys y dŵr (t. 165) a mintys yr âr *(Mentha arvensis)* flodau mwy, lliw lelog; mae rhai mintys y dŵr ar y pen, ac mae arogl aromatig cryf ar y dail.

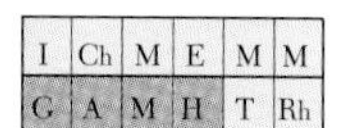

I	Ch	M	E	M	M
G	A	M	H	T	Rh

Mintys y dŵr

Mentha aquatica Water mint

Planhigyn lluosflwydd, unionsyth, blewog, hynod o aromatig sy'n tyfu mewn corsydd, ffosydd ac ochrau afonydd, pyllau a llynnoedd. Dyma'r mintys mwyaf cyffredin mewn mannau gwlyb, ac sy'n rhoi yr arogl nodweddiadol o lystyfiant y gors yn yr haf a'r hydref. Mae'r mintys poeth yn hybrid rhwng mintys y dŵr a mintys ysbigog yr ardd, sy'n gyfarwydd fel y prif gynhwysydd mewn saws mintys. Mae'r rhain a mintys eraill yn blanhigion egnïol sy'n aml yn dianc o'r ardd i gymryd eu lle mewn mannau llaith neu dir anial.

FFEIL FFEITHIAU

Taldra: 20-80cm.

Blodau: Liw lelog, 3-4mm o hyd, y rhan fwyaf ar y pen, eraill mewn sidell yn is i lawr y coesyn, calycs hir, blewog; brigerau i'w gweld allan o'r blodyn.

Dail: Mewn parau gyferbyn â'i gilydd, hirgrwn, ar goesyn, danheddog.

Ffrwythau: 4 cneuen fach.

Planhigion Tebyg: Mae gan fintys yr âr *(Mentha arvensis)* flodau sy'n lliw lelog goleuach, a'r cyfan mewn sidelli ar wahân i fyny'r coesyn; mae'n tyfu mewn mannau sychach.

I	Ch	M	E	M	M
G	A	M	H	T	Rh

Codwarth du

Solanum nigrum Black nightshade

Planhigyn unflwydd, unionsyth neu'n esgynnol ac yn aml fel llwyn, di-flew neu unflwydd felfedaidd, sy'n tyfu ar dir âr ac mewn gerddi; mae'n gyffredin yng Nghymru a Lloegr ond yn brin yng ngogledd Prydain ac Iwerddon. Mae'r aeron disglair, sy'n aeddfedu o wyrdd i ddu yn y cyfnod rhwng Awst a mis Hydref, yn wenwynig – yr un fath â'i berthynas sydd wedi ei dyfu fel cnwd, y daten. Er bod y dail hefyd yn cynnwys symiau amrywiol o alcaloidau gwenwynig, yn ne Ewrop maen nhw'n cael eu coginio a'u bwyta fel llysiau gwyrdd tebyg i sbigoglys.

FFEIL FFEITHIAU

Taldra: 10-60cm.

Blodau: Gwyn, 5-8mm ar draws, y petalau'n troi i lawr, mewn clystyrau bach, llac; brigerau mewn côn melyn.

Dail: 3-6cm, ar goesyn, fwy neu lai'n hirgrwn neu siâp diemwnt, fel arfer yn afreolaidd ddanheddog, pigfain.

Ffrwythau: Clystyrau llac o aeron sfferaidd, du, sgleiniog.

Planhigion Tebyg: Mae'r codwarth *(Atropa belladonna)* yn blanhigyn lluosflwydd cadarn, gyda blodau siâp cloch 2-3cm o hyd, ac aeron hyd at 2cm ar draws; yn gyfyngedig mewn coedydd a phrysgwydd ar dir calch.

I	Ch	M	E	M	M
G	A	M	H	T	Rh

FFEIL FFEITHIAU

Taldra: 50-200cm, weithiau hyd at 400cm.

Blodau: Fioled, 10-15mm ar draws, mewn clystyrau llac; pob petal gyda 2 glwt gwyrdd o neithdar yn y bôn; brigerau mewn côn melyn.

Dail: 5-8mm, y rhai isaf yn 3 llabed a'r rhai uchaf yn siâp gwaywffon.

Ffrwythau: Aeron sydd fwy neu lai yn siâp ŵy, ysgarlad, sgleiniog, lled dryloyw, tua 1cm o hyd.

Planhigion Tebyg: Mae'r codwarth *(Atropa belladonna)* yn fwy nobl, gyda blodau siâp cloch, ac aeron mwy, du; yn gyfyngedig mewn coedydd a phrysgwydd ar dir calch.

Elinog neu'r Codwarth caled

Solanum dulcamara Woody nightshade

Planhigyn lluosflwydd, braidd yn goediog, yn dringo neu'n ymledu, melfedaidd, sy'n tyfu mewn mannau cysgodol wrth nentydd ac afonydd, ffosydd, gerddi blêr a choedydd llaith. Mae'n gyffredin, ond yn yr Alban mae i'w weld yn bennaf ar yr arfordir ac ar hyd yr afonydd. Mae'n rhywogaeth sy'n nodweddiadol o goetir corsiog, cynefin prin sy'n goroesi mewn rhannau o East Anglia ac Iwerddon; mae amrywiad llorweddol, noddlawn yn tyfu ar draethau graean bras. Mae'r planhigyn yn lledaenu drwy'r had a thrwy gynhyrchu coesynnau newydd o'r gwreiddiau.

I	Ch	M	E	M	M
G	A	M	H	T	Rh

Blodyn mwnci

Mimulus guttatus Monkey flower

Planhigyn lluosflwydd, unionsyth neu'n esgynnol, gyda choesynnau nobl, gwag sy'n chwarennol/melfedaidd ar y rhan uchaf. Tyf ar lannau nentydd ac afonydd a mannau llaith. Cafodd ei gyflwyno'n wreiddiol o orllewin UDA, ond roedd wedi dianc o'r gerddi yn gynnar yn y 19eg ganrif ac erbyn heddiw mae i'w weld yn y rhan fwyaf o Ynysoedd Prydain ac Iwerddon, yn arbennig yn y gogledd. Mae'n brin yn East Anglia ac yng nghanolbarth Iwerddon. Mae'n blanhigyn deniadol sy'n ychwanegu lliw i ochrau nentydd ac anghofir yn aml nad yw'n blanhigyn cynhenid.

FFEIL FFEITHIAU

Taldra: 20-50cm.

Blodau: Aur felyn, smotiau coch ar y gwddf, 25-40mm o hyd, mewn clystyrau hir, llac, deiliog; calycs chwarennol/ melfedaidd.

Dail: Mewn parau gyferbyn â'i gilydd, fwy neu lai'n hirgrwn, afreolaidd ddanheddog, y rhai uchaf yn gafael am y coesyn.

Ffrwythau: Capsiwlau hirgul tua 1cm o hyd, llawer o hadau.

Planhigion Tebyg: Mae gan y blodyn mwnci gwaedlyd *(Mimulus luteus)*, o Chile, flodau gyda smotiau coch ac mae i'w gael mewn mannau tebyg, gan mwyaf yng ngogledd Prydain.

I	Ch	M	E	M	M
G	A	M	H	T	Rh

Pannog felen

Verbascum thapsus Great mullein

Planhigyn eilflwydd, unionsyth, amlwg, nobl, yn ffeltiog wyn sy'n tyfu ar gloddiau heulog, tir anial, ochrau'r ffyrdd sych, prysgwydd ac ochrau'r coedydd. Yn Iwerddon mae'n aml yn gysylltiedig gyda thai neu furddunod. Fel rheol, mae'n blanhigyn sy'n gyffredin, ac weithiau bydd cryn nifer ohonynt, ond mae'n brin yn Iwerddon a gogledd a gorllewin yr Alban. Fel planhigion eilflwydd eraill, mae'r planhigion ifanc yn datblygu rosét o ddail ar ddiwedd yr haf cyntaf, sy'n edrych yn debyg i fresychen flewog. Gall y planhigyn aeddfed gynhyrchu miloedd lawer o hadau.

FFEIL FFEITHIAU

Taldra: 80-200cm.

Blodau: Melyn golau, 20-50mm ar draws, mewn clystyrau bach yng nghesail y bract; wedi'u casglu at ei gilydd mewn niferoedd enfawr mewn sbigynnau heb ganghennau.

Dail: Hirgrwn neu fwy neu lai'n siâp gwaywffon, pigfain.

Ffrwythau: Capsiwlau siâp ŵy yn cynnwys nifer o hadau bychan, bach.

Planhigion Tebyg: Mae sawl rhywogaeth arall o'r pannog i'w gweld mewn cynefinoedd tebyg ym Mhrydain, yn bennaf yn y de, ond nid yn Iwerddon.

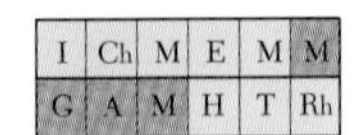

Gwrnerth

Scrophularia nodosa Common figwort

Planhigyn lluosflwydd, unionsyth, di-flew, arogl anghynnes wedi iddo gael ei gleisio, gyda gwreiddgyff byr, tew, cnotiog a choesynnau sgwâr heb adain. Tyf mewn coedydd, glannau afonydd a mannau llaith, cysgodol. Mae'n gyffredin drwy'r rhan helaethaf o Brydain ac Iwerddon, er yn brin yng ngogledd yr Alban. Nid yw'n blanhigyn arbennig o dlws, er bod yna amrywiad brith/hufen sydd i'w weld mewn gerddi. Mae ganddo, fodd bynnag, hanes hir o ddefnydd meddyginiaethol, yn arbennig wrth drin y croen ac i wella clwyfau. Mae hefyd yn cael ei alw'n gornerth, deilen ddu dda a meddyges dda.

FFEIL FFEITHIAU

Taldra: 40-100cm.

Blodau: Tebyg i helmed, 10mm o hyd, gwyrdd gyda gwefus uchaf porffor/brown mewn clystyrau llac/deiliog.

Dail: Mewn parau gyferbyn â'i gilydd, hirgrwn, ar goesyn byr gyda'r bôn wedi'i dorri i ffwrdd, dwbl ddanheddog, pigfain.

Ffrwythau: Capsiwlau siâp ŵy.

Planhigion Tebyg: Mae gwrnerth y dŵr *(Scrophularia aquatica)* yn dalach, gyda choesynnau adeiniog, dail pŵl a chapsiwlau sfferaidd, ac mae'n tyfu mewn mannau gwlyb.

I	Ch	M	E	M	M
G	A	M	H	T	Rh

FFEIL FFEITHIAU

Taldra: 30-80cm.

Blodau: Melyn golau, 2-3cm o hyd, gyda darn yn y canol sy'n felyn tywyll, mewn sbigynnau hir, braidd yn llac; sbardun hir, main.

Dail: Cul iawn, siâp gwaywffon, cyfan, pigfain.

Ffrwythau: Capsiwlau siâp ŵy.

Planhigion Tebyg: Mae gan y pen ci bach *(Antirrhinum)* a thrwyn llo bach eraill, y mwyafrif ohonynt wedi dianc o'r ardd, flodau porffor neu goch fel arfer.

Llin y llyffant

Linaria vulgaris Toadflax

Planhigyn lluosflwydd, unionsyth gyda gwreiddgyff tenau, ymledol; planhigyn cyffredin ar laswelltiroedd, cloddiau a thir anial. Mae'n gyffredin mewn rhai ardaloedd yn Iwerddon, a gogledd a gorllewin yr Alban. Mae'r neithdar yn y sbardun hir; caiff y blodau eu peillio gan y fêl wenynen a chacwn, ac mae rhai ohonynt yn dwyn y neithdar drwy frathu drwy'r sbardun. Dyma un o'n blodau gwyllt mwyaf trawiadol ac yn nodwedd o ddiwedd yr haf yn y wlad. Mae hanner cyntaf yr enw gwyddonol (fel mae'r enw Cymraeg) yn cyfeirio at debygrwydd y dail i ddail llin (Lladin: *linum*).

I	Ch	M	E	M	M
G	A	M	H	T	Rh

Trwyn y llo dail eiddew

Cymbalaria muralis Ivy-leaved toadflax

Planhigyn lluosflwydd, di-flew, yn aml yn borffor, yn nodweddiadol yn disgyn dros furiau, ond ambell dro fe'i gwelir ar greigiau, tir caregog a hyd yn oed traethau graean bras. Mae'n hanu o'r Eidal a rhannau cyfagos o'r Alpau yn wreiddiol, ac wedi dianc o'r gerddi drwy orllewin Ewrop; mae wedi bod ym Mhrydain ers 1640. Mae'n awr i'w weld drwy wledydd Prydain ac Iwerddon. Mae coesynnau'r capsiwlau'n tyfu i ffwrdd oddi wrth y golau, gan grymu i lawr fel mae'r hadau'n aeddfedu, ac yn gwthio'r ffrwythau i gilfachau ar y wal ble gall yr hadau egino a chael gwell cyfle i sefydlu a thyfu.

FFEIL FFEITHIAU

Taldra: 10-60cm.

Blodau: Fel pen ci bach, lliw lelog, fioled neu weithiau'n wyn gyda smotyn melyn yn y canol, 9-15mm o hyd, unigol ar goesyn hir.

Dail: Ar goesyn hir, tebyg i eiddew, crwn neu siâp aren, gyda 5-9 llabed fas.

Ffrwythau: Capsiwlau sfferaidd, ar goesynnau stiff, crwm.

Planhigion Tebyg: Does yr un trwyn-y-llo arall yn disgyn dros furiau fel y planhigyn hwn.

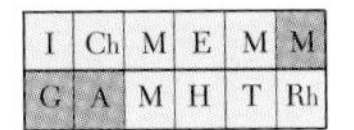

Bysedd y cŵn

Digitalis purpurea Foxglove

Planhigyn eilflwydd,neu luosflwydd byrhoedlog unionsyth, amlwg, heb ganghennau, llwyd/felfedaidd. Yn gyffredin ac weithiau ceir digonedd ohono mewn coedlannau agored, prysgwydd, rhostir a chloddiau ar bridd asidig. Ble mae tir wedi cael ei glirio neu ei losgi, gall niferoedd mawr liwio'r holl dirwedd, a chaiff ei weld ar ochrau ffyrdd newydd yng Nghymru a rhannau eraill o orllewin Prydain. Mae'r planhigyn gwenwynig hwn yn rhoi'r cyffur digitalin, sydd wedi cael ei ddefnyddio mewn meddygaeth ers canrifoedd i arafu curiad y galon. Mae'r cacwn yn hoff iawn o ymweld â'r blodau.

FFEIL FFEITHIAU

Taldra: 50-180cm.

Blodau: Fwy neu lai fel tiwb, pinc/porffor neu goch/pinc, marciau coch ac yn flewog y tu fewn, 40-55mm o hyd, mewn sbigyn hir, trwchus.

Dail: Mawr iawn, fwy neu lai yn siâp gwaywffon, crychiog, yn feddal flewog.

Ffrwythau: Capsiwlau sydd bron yn sfferaidd, melfedaidd.

Planhigion Tebyg: Mae'n annhebygol y caiff hwn ei gymysgu gydag unrhyw flodyn gwyllt arall.

I	Ch	M	E	M	M
G	A	M	H	T	Rh

Llysiau Taliesin

Veronica beccabunga Brooklime

FFEIL FFEITHIAU

Taldra: 20-50cm.

Blodau: Glas, anaml yn binc, bron yn wastad, 4 llabed, 5-8mm ar draws, mewn parau, sbigynnau fel côn yn codi o bob pâr o ddail, 2 friger.

Dail: Mewn parau gyferbyn â'i gilydd, hirgrwn i hirgul, ar goesyn byr, yn fas ddanheddog, pŵl.

Ffrwythau: Capsiwlau fflat, yn hollti'n 4 segment.

Planhigion Tebyg: Mae gan graeanllys y dŵr (*Veronica anagallis-aquatica*) ddail pigfain, sy'n siâp gwaywffon fwy neu lai, a blodau o liw glas goleuach.

Planhigyn lluosflwydd, braidd yn noddlawn, di-flew gyda choesynnau gwag ymledol, sy'n gwreiddio ac aflêr neu'n dringo. Mae'n gyffredin mewn mannau gwlyb, ffosydd a nentydd, ac mae'n gyffredin yn Ynysoedd Prydain ac Iwerddon, er mai mewn rhai ardaloedd y ceir ef yng nghanolbarth a gorllewin yr Alban. Mae gan y dail flas siarp ac maent wedi cael eu defnyddio mewn salad. Mae gan y blodau glas diwb pitw, bach a dim ond dau friger, sy'n ffordd o adnabod llysiau Taliesin fel un o'r rhwyddlwynau. Mae'n perthyn i grŵp o rwyddlwynau lluosflwydd tebyg sy'n tyfu ar dir gwlyb neu gorsiog.

I	Ch	M	E	M	M
G	A	M	H	T	Rh

Llygad doli

Veronica chamaedrys Germander speedwell

Planhigyn lluosflwydd, blewog gyda choesynnau sy'n gwreiddio ymhell ac sy'n esgynnol gyda dwy linell o flew gwyn gyferbyn â'i gilydd ar y coesyn. Mae'n blanhigyn cyffredin ar ymylon coedlannau a glaswelltir; yn gyffredin drwy Brydain ac Iwerddon. Mae'n brin ar Ynysoedd Heledd Allanol ac Ynysoedd Erch. Dyma un o'n blodau gwyllt mwyaf cain a deniadol. Yn anffodus, mae'r petalau'n gwywo'n sydyn, yn arbennig os torrir y planhigyn. Efallai mai dyma gychwyn yr ofergoel y byddai niwed yn digwydd i lygaid y sawl sy'n tynnu'r blodyn neu i'w fam.

FFEIL FFEITHIAU

Taldra: 10-30cm.

Blodau: Glas tlws iawn gyda llygad gwyn, anaml yn lliw lelog, tua 1cm ar draws, mewn clystyrau conigol, llac o 10-20; 2 friger.

Dail: Mewn parau gyferbyn â'i gilydd, hirgrwn i driongl, danheddog.

Ffrwythau: Capsiwlau blewog siâp calon, yn hollti'n 2 segment.

Planhigion Tebyg: Mae'r rhwyddlwyn meddygol *(Veronica officinalis)* gyda choesynnau sy'n flewog i gyd a blodau glas/lelog mewn clystyrau trwchus; mae'n tyfu ar laswelltir sych a rhostir.

Rhwyddlwyn y maes

Veronica persica Common field-speedwell

Planhigyn unflwydd, llorweddol neu ymledol, blewog sydd i'w weld ar dir wedi'i droi, yn arbennig tir âr, da. Er mai dim ond yn gynnar yn y 19eg ganrif y cyrhaeddodd Ynysoedd Prydain o dde orllewin Asia, mae'n awr y rhwyddlwyn mwyaf cyffredin ar dir âr. Mae rhain yn grŵp o wyth, y cyfan yn blanhigion unflwydd, rhai yn brin erbyn hyn o ganlyniad i ffermio modern, dwys. Rhwyddlwyn y maes yn unig o'r grŵp yma yw un o'n chwyn mwyaf llwyddiannus a gall fod yn niwsans mewn cnydau llysiau, rhandiroedd a gerddi.

I	Ch	M	E	M	M
G	A	M	H	T	Rh

Yn blodeuo gydol gaeafau mwyn

FFEIL FFEITHIAU

Taldra: 10-50cm.

Blodau: Glas, gyda gwythiennau glas tywyllach/fioled, marciau gwyn a llygad, 8-12mm ar draws, unigol ar goesyn main, 2 friger.

Dail: Mewn parau gyferbyn â'i gilydd, coesyn byr, hirgrwn neu driongl, yn fras ddanheddog.

Ffrwythau: Capsiwlau blewog, gludiog gyda 2 labed sy'n groes i'w gilydd.

Planhigion Tebyg: Mae gan y rhwyddlwyn dail eiddew *(Veronica hederifolia)* ddail gyda 3 i 5 llabed, blodau glas neu lelog, llai, a ffrwythau nobl, crwn; mae'n tyfu mewn gerddi a choedydd.

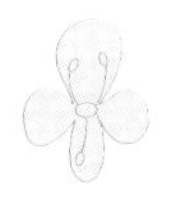

I	Ch	M	E	M	M
G	A	M	H	T	Rh

FFEIL FFEITHIAU

Taldra: 5-20cm.

Blodau: Glas golau, gyda llygad gwyn a gwythiennau lelog, 10-15mm ar draws, unigol, ar goesynnau hir, main; 2 friger.

Dail: Mewn parau gyferbyn â'i gilydd, siâp aren, danheddog grwn, pŵl.

Ffrwythau: Anaml y ffurfir capsiwlau yng ngogledd Ewrop.

Planhigion Tebyg: Mae'r rhwyddlwyn dail teim *(Veronica serpyllifolia)* yn blanhigyn cynhenid sy'n tyfu ar laswelltir, gyda dail sydd fwy neu lai heb ddannedd a blodau glas golau neu wyn mewn sbigynnau llac.

Rhwyddlwyn main

Veronica filiformis Slender speedwell

Planhigyn lluosflwydd, main, ymledol, sy'n ffurfio mat; mae'r coesynnau'n gwreiddio wrth y nodau ac yn lledaenu'n gyflym mewn glaswelltiroedd llaith, glannau afonydd, mynwentydd a lawntiau. Cafodd ei gyflwyno o'r Cawcasws yn 1808 fel planhigyn gardd, ond dihangodd i'r gwyllt yn fuan. Nid yw'n bwrw had yn Ynysoedd Prydain ac Iwerddon, ond lledaenir darnau sy'n gwreiddio drwy dorri'r lawnt. Mae hwn yn flodyn cain ac yn aml yn rhoi gwawr las i fannau glaswelltog yn gynnar ym mis Mai. Mae'n ychwanegiad gwerthfawr at ein fflora.

I	Ch	M	E	M	M
G	A	M	H	T	Rh

Gliniogai

Melampyrum pratense Common cow-wheat

Planhigyn unflwydd, main, canghennog, fwy neu lai'n ddi-flew sy'n tyfu mewn coedydd sych, prysgwydd, rhostir a glaswelltir ar bridd asidig. Mae'n tyfu drwy Ynysoedd Prydain, er yn llai cyffredin yn nwyrain Lloegr a llawer o Iwerddon. Mae'n rhywogaeth amrywiol iawn: mae gan y planhigion sy'n tyfu ar y gweunydd flodau porffor/pinc weithiau. Fel yr effros (t. 180) a rhai aelodau eraill o'r teulu hwn, mae'r gliniogai yn hanner parasitig ac yn cymryd dŵr a mwynau o wreiddiau planhigion eraill.

FFEIL FFEITHIAU

Taldra: 20-60cm.

Blodau: Melyn/gwyn neu felyn, 10-18 mm o hyd, mewn parau, yn troi i'r un ochr; bractau fel dail, fymryn yn ddanheddog.

Dail: Mewn parau gyferbyn â'i gilydd, braidd yn gul, hirgrwn neu siâp gwaywffon, pigfain.

Ffrwythau: Capsiwlau 4 hedyn.

Planhigion Tebyg: Mae gan y gribell felen (t. 179) ddail danheddog a bractau melyn/wyrdd; tyf ar laswelltir.

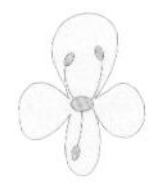

I	Ch	M	E	M	M
G	A	M	H	T	Rh

Cribell felen

Rhinanthus minor Yellow-rattle

Planhigyn unflwydd, unionsyth, braidd yn stiff, a fwy neu lai'n ddi-flew sy'n tyfu ar laswelltir, yn arbennig mannau llaith ac yn y gorllewin. Mae'n flodyn gwyllt clasurol sy'n tyfu mewn hen weirgloddiau, ac yn anffodus yn llawer llai niferus oherwydd dulliau amaethu modern. Fel yr effros (t. 180) a'r melogiaid a rhai aelodau eraill o'r teulu, mae'r gribell felen yn hanner parasitig ac yn cymryd dŵr a mwynau o wreiddiau planhigion eraill. Mae'n rhywogaeth amrywiol. Enwau Cymraeg eraill yw arian gweirwyr, arian y pladurwr, clych y meirch, a coden grimp.

FFEIL FFEITHIAU

Taldra: 10-50cm.

Blodau: Melyn, gyda 2 ddant byr, fioled, 12-15mm o hyd mewn sbigynnau llac; calycs chwyddedig ac yn ffrwytho'n barhaol; bractau melyn/wyrdd amlwg.

Dail: Mewn parau gyferbyn â'i gilydd, hirgul neu siâp gwaywffon. danheddog, pigfain.

Ffrwythau: Capsiwlau, pob un gyda calycs chwyddedig; hadau yn fflat ac adeiniog.

Planhigion Tebyg: Nid oes gan y gliniogai (t. 178) ddannedd ar y dail ac mae ganddo fractau disylw; mae'n tyfu fel arfer mewn coedydd ac ar rostir.

I	Ch	M	E	M	M
G	A	M	H	T	Rh

Effros

Euphrasia nemorosa Eyebright

Planhigyn unflwydd, cain, yn aml yn ganghennog, gwyrdd tywyll, blewog neu'n ludiog/flewog sy'n tyfu ar laswelltir, rhostir a thwyni tywod drwy Ynysoedd Prydain ac Iwerddon. Fel y gribell felen (t. 179) a rhai aelodau eraill o'r teulu, mae'n hanner parasitig ac yn cymryd dŵr a mwynau o wreiddiau planhigion eraill. Mae'r effros yn perthyn i grŵp amrywiol iawn o nifer o feicrorywogaethau a hybridau sy'n perthyn yn agos iawn i'w gilydd, nifer ohonynt yn gyfyngedig i Brydain. Yn ôl pob hanes mae wedi cael ei ddefnyddio fel llysieuyn llesol ar gyfer trin mân anhwylderau'r llygad.

FFEIL FFEITHIAU

Taldra: 5-35cm.

Blodau: Gwyn, gyda marciau melyn a phorffor, 4-10mm o hyd, wedi eu gosod mewn clystyrau llac, deiliog.

Dail: Mewn parau gyferbyn â'i gilydd, hirgrwn/triongl, yn grwn yn y bôn, tolciog ddanheddog.

Ffrwythau: Capsiwlau bach, hirgul, blewog gyda nifer o hadau pitw.

Planhigion Tebyg: Mae tua 30 o wahanol rywogaethau o'r effros sy'n perthyn yn agos i'w gilydd yn tyfu ym Mhrydain ac Iwerddon.

I	Ch	M	E	M	M
G	A	M	H	T	Rh

Melog y cŵn

Pedicularis sylvatica Lousewort

FFEIL FFEITHIAU

Taldra: 5-25cm.

Blodau: Cochlyd neu borffor/binc, 15-25 mm o hyd, mewn sbigynnau byr, llac; calycs di-flew neu denau, flewog.

Dail: Siâp gwaywffon, wedi'u llabedu'n ddwfn.

Ffrwythau: Capsiwlau cerfiedig oddi fewn i galycs sydd wedi'i enchwyddo'n barhaol.

Planhigion Tebyg: Mae melog y waun *(Pedicularis palustris)* yn blanhigyn lluosflwydd hyd at 50cm o daldra gyda choesyn canghennog a chalycs melfedaidd, sy'n tyfu ar laswelltir llaith a rhostir, fel arfer ar bridd asidig.

Planhigyn lluosflwydd, cudynnog sy'n gyffredin ar weunydd, rhostir a chorsydd, er ei fod yn brin yng nghanolbarth Lloegr ac East Anglia. Fel y gribell felen (t. 179), yr effros (t. 180) a rhai aelodau eraill o'r teulu, mae melog y cŵn yn hanner parasitig ac yn cymryd dŵr a mwynau o wreiddiau planhigion eraill. Mae gan blanhigion o'r Iwerddon a rhai mannau yng ngorllewin Cymru galycs blewog. Mae'r enw Saesneg yn cyfeirio at lyngyr yr iau sy'n gallu bod yn bla ar anifeiliaid ar dir gwlyb ble mae'r planhigyn yn tyfu. Enwau Cymraeg eraill yw cribell goch, llysiau'r eglwys, mêl y cŵn a melog y borfa.

I	Ch	M	E	M	M
G	A	M	H	T	Rh

Gorfanadl

Orobanche minor Common broomrape

Planhigyn lluosflwydd, unionsyth, noddlawn, blewog/ludiog, melyn, brown, pinc neu borffor sydd ar yr olwg gyntaf yn edrych yn debyg i degeirian. Mae'n ymddangos o bryd i'w gilydd yn ysbeidiol, ac mae'n gyffredin os yn gyfyngedig ar laswelltir sych, ond yn llai aml mewn gerddi. Nid yw'n cynhyrchu dim cloroffyl ac mae'n barasitig ar wreiddiau amryw o blanhigion, yn arbennig aelodau o deulu'r bysen a llygad y dydd, gan gynnwys planhigion yr ardd. Mae'n tynnu dŵr, mwynau a siwgr o'r rhain er mwyn iddo allu tyfu, blodeuo a chynhyrchu hadau.

FFEIL FFEITHIAU

Taldra: 10-80cm.

Blodau: 5 llabed i'r corola, melyn gydag arlliw o fioled, pinc neu borffor, 10-15 mm o hyd, mewn sbigyn silindraidd, llac.

Dail: Tebyg i gen.

Ffrwythau: Capsiwlau silindraidd yn cynnwys llawer o hadau sy'n edrych fel llwch.

Planhigion Tebyg: Y mwyaf cyffredin o'r 12 rhywogaeth o'r gorfanadl. Mae'n perthyn yn agos i'r deintlys *(Lathraea squamaria)* sydd â chlystyrau 1 ochrog o flodau gwyn neu binc. Mae braidd yn brin ac yn barasitig ar y gollen a'r llwyfen.

I	Ch	M	E	M	M
G	A	M	H	T	Rh

Tafod y gors

Pinguicula vulgaris Common butterwort

Planhigyn lluosflwydd, deniadol, nodedig, cudynnog gyda'r gallu hynod i ddal, treulio ac amsugno mân bryfetach i ychwanegu at ei anghenion bwyd. Tyf mewn corsydd, gweunydd a rhostir gwlyb, creigiau a glaswelltir gwlyb. Mae i'w ganfod drwy Ynysoedd Prydain, ond mae'n brin yn ne a dwyrain Lloegr. Mae dal pryfetach yn addasiad i lefelau isel o fwynau mewn cynefinoedd corslyd, un mae'n ei rannu gyda phlanhigion o deulu'r gwlithlys (t. 58).

FFEIL FFEITHIAU

Taldra: 5-10cm, ambell dro cymaint â 18cm.

Blodau: Fioled, fel arfer gyda gwddf gwyn, 10-15mm o hyd, unigol ar goesyn hir; sbardun syth, 4-6mm.

Dail: Y cyfan mewn rosét wrth y bôn, hirgrwn neu hirgul, golau neu felyn/wyrdd, yn ludiog iawn ar yr ochr uchaf.

Ffrwythau: Capsiwlau siâp ŵy, yn cynnwys nifer o hadau bach.

Planhigion Tebyg: Mae tafod y gors gwelw *(Pinguicula lusitanica)* gyda blodau llai, lliw lelog, y sbardun yn 2-4 mm, sy'n troi i lawr, yn gyffredin mewn rhai lleoedd yng ngorllewin Prydain a gorllewin Iwerddon.

Llydan y ffordd

Plantago major Greater plantain

Planhigyn lluosflwydd, cudynnog, gyda rosét o ddail fel lledr a choesynnau ffibrog sy'n gallu gwrthsefyll sathru; digonedd ohono mewn mannau glaswelltog ac ochrau'r ffyrdd, ar dir anial, yn arbennig ar lwybrau ac wrth glwydi. Rhywogaeth amrywiol ; mae gan blanhigion sy'n tyfu ar dir âr a glannau llynnoedd ddail gwyrdd golau, blewog gyda 3-5 gwythïen a hyd at 30 o hadau ym mhob capsiwl. Cânt eu hystyried fel isrywogaeth wahanol. Arferid defnyddio'r dail unwaith i drin clwyfau, ac mae gan y planhigyn nodweddion lleddfu a gwella afiechydon.

I	Ch	M	E	M	M
G	A	M	H	T	Rh

FFEIL FFEITHIAU

Taldra: 5-40cm, weithiau hyd at 60cm.

Blodau: Bach, melyn/wyrdd mewn sbigyn silindraidd, trwchus; brigerau lliw lelog, yn pylu ac yn troi'n felyn.

Dail: Hirgrwn neu eliptaidd, fel rheol gyda 5-9 gwythïen gyflinellol, ar goesyn, fel arfer yn wydn a di-flew, ac weithiau'n fawr iawn.

Ffrwythau: Capsiwlau siâp ŵy, yn agor gyda chaead; 8-12 o hadau fel arfer.

Planhigion Tebyg: Mae dail siâp gwaywffon gan lyriad yr ais *(Plantago lanceolata)*, sbigynnau blodau sy'n gul ac yn siâp ŵy, a brigerau melyn.

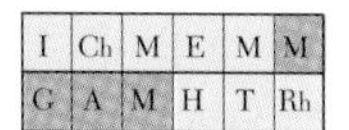

Gwyddfid

Lonicera periclymenum Honeysuckle

Dringwr troellog (yr un cyfeiriad â'r cloc) â choesyn coediog, sydd i'w weld ar wrychoedd ac mewn canghennau coed a phrysgwydd, neu wrth y ddaear ar rostiroedd arfordirol. Mae'r blodau'n amlwg iawn ac mae'n un o'n hoff flodau gwyllt sy'n enwog am ei berarogl, yn enwedig yn y nos pan fydd gwyfynod yn ymweld â'r blodyn. Y gwyddfid sy'n rhoi bwyd i lindys y fantell wen. Dail y gwyddfid yn ymddangos yw un o'r arwyddion cyntaf o lesni yn y coedlannau ddiwedd y gaeaf. Mae'r aeron yn wenwynig.

FFEIL FFEITHIAU

Taldra: 2-6m.

Blodau: Tiwbaidd, 2 wefus, 3-5 cm o hyd, melyn/hufen gyda gwawr lelog neu goch, sy'n pylu'n lliw oren, perarogl cyfoethog, mewn clystyrau.

Dail: Mewn parau gyferbyn â'i gilydd, hirgrwn, coesyn byr iawn, melfedaidd, fymryn yn oleuach dan y ddeilen.

Ffrwythau: Clystyrau o aeron coch, sgleiniog.

Planhigion Tebyg: Mae mathau eraill o wyddfid weithiau'n dianc o'r ardd, yn arbennig y gwyddfid trydwll *(Lonicera caprifolium)* sydd â phâr o ddail wedi ymdoddi i'w gilydd.

I	Ch	M	E	M	M
G	A	M	H	T	Rh

Mwsglys neu Cloc y dref

Adoxa moschatellina Moschatel

Planhigyn lluosflwydd, cain, gwyrdd golau, di-flew, sy'n ffurfio clystyrau hyd at sawl medr ar draws; mae'n gyffredin mewn rhai mannau mewn coedydd, cloddiau a mannau llaith, cysgodol. Mae i'w weld drwy wledydd Prydain, i'r gogledd o aber Cromarty, ond mewn dau le yn unig mae i'w weld yn Iwerddon. Pan mae'r planhigyn yn wlyb, mae arogl mwsg ysgafn arno. Dyma'r unig rywogaeth yn y teulu hwn. Dywedir fod yr hadau yn cael eu lledaenu gan falwod. Trefniant y blodau ar y coesyn, yn wynebu i fyny a tuag at allan mewn pedair ffordd, sy'n rhoi'r enw 'cloc y dref' i'r planhigyn.

FFEIL FFEITHIAU

Taldra: 5-10cm.

Blodau: Melyn/wyrdd, fel rheol 5, mewn pen cryno 6-8mm ar draws; yr un uchaf gyda 4 petal a brigerau, a'r gweddill gyda 5; brigerau yn felyn golau.

Dail: Ar goesyn hir, fymryn yn noddlawn, 3 llabed, y llabedau wedi eu rhannu ymhellach yn llabedau crwn.

Ffrwythau: Amffrwyth (drŵp) bach, gwyrdd, noddlawn.

Planhigion Tebyg: Mae modd camgymryd y dail ifanc am rai blodyn y gwynt (t. 34), ble mae'r dail wrth y bôn yn ymddangos ar ôl i'r planhigyn flodeuo.

I	Ch	M	E	M	M
G	A	M	H	T	Rh

Gwylaeth yr oen

Valerianella locusta Common cornsalad

Planhigyn unflwydd, unionsyth, main sy'n tyfu ar dir âr, cloddiau sych, waliau, brigiad craig a thwyni tywod. Mae'n rhywogaeth amrywiol: weithiau ceir corblanhigion cryno ar dwyni tywod. Tyfir ffurf mwy nobl fel cnwd mewn gerddi ac fel cnwd i'w werthu'n fasnachol ar gyfer salad. Dyma'r unig un sy'n gyffredin o'r pum rhywogaeth o wylaeth, sydd i gyd yn tyfu mewn cynefinoedd tebyg agored a'r tir wedi'i aflonyddu. Mae niferoedd y cyfan wedi gostwng o ganlyniad i ddulliau amaethu modern.

FFEIL FFEITHIAU

Taldra: 5-20cm, weithiau hyd at 40cm.

Blodau: Lliw lelog golau, 1-2mm ar draws, siâp twmffat neu dwndis, mewn parau, trwchus, clystyrau â phen braidd yn wastad 1-2cm ar draws.

Dail: Mewn parau gyferbyn â'i gilydd, siâp llwy; y rhai uchaf yn fwy hirgul, fymryn yn ddanheddog.

Ffrwythau: 2-3mm o hyd, gwyrdd, 1 hedyn, chwyddedig ond wedi'u fflatio, mewn clystyrau trwchus.

Planhigion Tebyg: Mae'n anodd gwahaniaethu rhwng y 5 rhywogaeth.

I	Ch	M	E	M	M
G	A	M	H	T	Rh

Llysiau Cadwgan neu Triaglog

Valeriana officinalis Common valerian

Planhigyn lluosflwydd, unionsyth, nobl, braidd yn flewog sy'n tyfu ar laswelltir llaith a sych, prysgwydd a choedydd agored, yn gyffredin drwy Brydain ac Iwerddon. Mae gan hwn a rhywogaethau eraill o'r triaglog arogl nodweddiadol sydd braidd yn anghynnes; dywedir fod y cathod yn hoffi'r gwreiddiau. Mae rhin o'r planhigyn wedi ei ddefnyddio mewn meddyginiaeth fel tawelydd. Mae'r enw gwyddonol yn dod o'r Lladin '*valere*' a'i ystyr yw 'gwella'. Ceir sôn am ddiferion triaglog yn cael eu defnyddio fel gwenwyn mewn nofelau ditectif, hen ffasiwn.

FFEIL FFEITHIAU

TALDRA: 50-150cm.

BLODAU: Pinc golau neu wyn, 5mm ar draws, tiwbaidd gyda sbardun fel coden, perarogl, wedi'u hel at ei gilydd mewn pen fflat, trwchus; 3 briger.

DAIL: Mewn parau gyferbyn â'i gilydd, cyfansawdd, neu wedi'u llabedu'n ddwfn, yr ochrau'n ddanheddog.

FFRWYTHAU: 1 hedyn, 2-3mm, gyda choron o flew.

PLANHIGION TEBYG: Mae gan y triaglog coch (t. 189) gorola sydd fel arfer yn goch gyda sbardun mwy; mae triaglog y gors *(Valeriana dioica)* yn blanhigyn llai gyda dail sy'n llai rhanedig, ac mae i'w weld mewn corsydd i'r gogledd hyd at ganolbarth yr Alban.

Triaglog coch

Centranthus ruber Red valerian

I	Ch	M	E	M	M
G	A	M	H	T	Rh

Planhigyn lluosflwydd, unionsyth neu'n esgynnol, trawiadol, fymryn yn wyrddlas, di-flew, braidd yn goediog wrth y bôn. Mae'n gyffredin mewn rhai mannau ar waliau, hen adeiladau, creigiau, clogwyni, ochrau ffyrdd, argloddiau rheilffordd, tir anial a gerddi. Er ei fod wedi ymsefydlu, fel blodau'r fagwyr (t. 50) cafodd ei gyflwyno yma o dde Ewrop i'r gerddi, ac ar un adeg cafodd ei blannu'n helaeth ar ochrau ffyrdd newydd. Mae'n dal i ledaenu, ond mae'n dal yn brin yng ngogledd Prydain, yng nghanolbarth Lloegr ac yng ngogledd Iwerddon.

FFEIL FFEITHIAU

Taldra: 30-80cm.

Blodau: Coch fel rheol, ond yn aml ceir pinc a gwyn, 5mm ar draws, tiwbaidd gyda sbardun main, arogl, mewn clystyrau canghennog wedi eu grwpio mewn pen fel pyramid, 1 briger.

Dail: Mewn parau gyferbyn â'i gilydd, siâp gwaywffon fwy neu lai, fel arfer heb ddannedd, pigfain.

Ffrwythau: 1 hedyn, plu ar y pen.

Planhigion Tebyg: Mae llysiau Cadwgan (t. 188) gyda corola byrrach, pinc neu wyn a sbardun sy'n edrych fel coden.

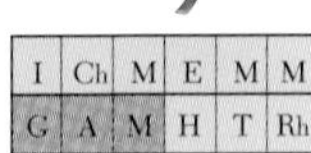

Cribau'r pannwr gwyllt

Dipsacus fullonum Teasel

Planhigyn eilflwydd, unionsyth, urddasol, di-flew sy'n tyfu ar lannau nentydd, mannau glaswelltog, llaith, ochrau'r ffyrdd a thir anial. Mae'n gyffredin yn ne Prydain ac yn ymestyn i'r gogledd cyn belled â Fife, ond yn brin yn y gogledd ac yn Iwerddon. Mae'r cwpanau a ffurfir gan fôn y dail sydd wedi ymdoddi i'w gilydd yn llenwi gyda glaw a gwlith, ac yn boddi llawer o bryfetach. Mae isrywogaeth arbennig, cribau'r pannwr, gyda bractiau sy'n troi i lawr, wedi cael ei ddefnyddio i godi ceden ar frethyn. Tyfir cnwd o gribau'r pannwr o hyd yng Ngwlad yr Haf i'r perwyl hwn.

FFEIL FFEITHIAU

Taldra: 50-200cm, hyd at 300cm ambell dro.

Blodau: Fioled, mewn pen siâp ŵy 3-9cm o hyd; basged o 8-12 bract cul, yn crymu at i fyny, pigog, cyhyd â phen y blodau.

Dail: Mewn parau wedi ymdoddi i'w gilydd gyferbyn â'i gilydd, siâp gwaywffon, yn bigog ar ochr isaf y ddeilen.

Ffrwythau: 1 hedyn, wedi eu casglu yn y pennau nodweddiadol.

Planhigion Tebyg: Planhigyn nodedig; mae'r ddau grib y pannwr arall yn llai ac yn llawer prinnach.

I	Ch	M	E	M	M
G	A	M	H	T	Rh

Tamaid y cythraul

Succisa pratensis Devil's-bit scabious

Planhigyn lluosflwydd, unionsyth sy'n tyfu ar laswelltir llaith a chorsydd. Gall fod digonedd ohono ac i'w weld ym mhobman ar rostir arfordirol glaswelltog, fel a geir yng ngorllewin Iwerddon. Mae gan y gwreiddgyff, byr, tew un pen sydd wedi ei dorri'n sydyn – wedi cael ei frathu gan y diafol! Mae'r planhigyn yn fwyd i'r glöyn byw prin, britheg y gors. Mae ei enw Saesneg '*scabious*' yn tarddu o'i ddefnydd fel llysieuyn llesol i drin anhwylderau'r croen fel y clefyd crafu ('*scabies*') a chlefydau annymunol eraill.

FFEIL FFEITHIAU

Taldra: 20-100cm.

Blodau: Glas tywyll/porffor, anaml yn binc neu'n wyn; corola 4 llabed, y llabedau allanol yn hwy na'r rhai mewnol, mewn pen cromennog 18-25mm ar draws, ar goesyn hir.

Dail: Y dail isaf mewn rosét wrth y bôn; dail y coesyn mewn parau gyferbyn â'i gilydd, eliptaidd, y rhai uchaf yn gulach.

Ffrwythau: 1 hedyn, tua 5mm.

Planhigion Tebyg: Mae gan glafrllys y maes (t. 192) a'r clafrllys bach *(Scabiosa columbaria)* flodau lliw lelog mewn pennau sy'n fwy na 25mm ar draws.

I	Ch	M	E	M	M
G	A	M	H	T	Rh

Clafrllys y maes

Knautia arvensis Field scabious

Planhigyn eilflwydd neu luosflwydd, blewog, unionsyth sy'n tyfu ar laswelltir, cloddiau sych ac ochrau'r ffyrdd; arferai dyfu ar dir âr. Mae i'w gael ym mhobman er yn brin yng ngorllewin a gogledd yr Alban a llawer o orllewin Iwerddon. Mae ei enw Saesneg 'scabious' yn tarddu o'i ddefnydd fel llysieuyn llesol i drin anhwylderau'r croen fel y clefyd crafu *('scabies')*; heddiw mae'n cael ei werthfawrogi fel blodyn tlws yn yr ardd ac yn y gwyllt. Mae'r rhywogaethau cynhenid yn fwyd pwysig i lindys glesyn y calchfaen.

FFEIL FFEITHIAU

Taldra: 30-100cm.

Blodau: Lliw lelog, pur anaml yn wyn; 4 llabed i'r corola, a'r llabedau allanol yn fwy na'r rhai mewnol, mewn pen gwastad, ar goesyn hir, sy'n 25-40mm ar draws.

Dail: Mewn parau gyferbyn â'i gilydd, y rhai isaf yn gyfan, ond y rhai uchaf wedi'u llabedu'n ddwfn.

Ffrwythau: 1 hedyn, 5-6mm o hyd.

Planhigion Tebyg: Mae'r clafrllys bach*(Scabiosa columbaria)* yn fyrrach, gyda phen llai a corola 5 llabed; mae i'w weld ar laswelltir ar dir calch.

I	Ch	M	E	M	M
G	A	M	H	T	Rh

Clychlys mawr

Campanula latifolia Giant bellflower

Planhigyn lluosflwydd, unionsyth, urddasol, nobl sy'n tyfu mewn coedydd, gwrychoedd, mannau cysgodol a glannau nentydd. Mae'n gyffredin mewn rhai ardaloedd yn yr Alban a gogledd Lloegr, ond yn absennol o dde Lloegr. Yn Iwerddon mae wedi ymgartrefu yma ac acw yn y gogledd. Mae'n blanhigyn gwyllt trawiadol a nodweddiadol mewn rhai ardaloedd fel ardal calchfaen y Dales yng ngorllewin Swydd Efrog. Mae'n cael ei dyfu i addurno'r ardd, a gall y blagur ifanc gael eu coginio a'u bwyta fel sbigoglys. Ystyr yr enw gwyddonol '*Campanula*' yw 'cloch fach'.

FFEIL FFEITHIAU

Taldra: 50-150cm.

Blodau: Glas neu fioled/glas, siâp cloch, 40-55mm o hyd mewn sbigyn hir, deiliog; dannedd calycs cul hyd at 5cm o hyd.

Dail: Hirgrwn, afreolaidd danheddog, ar goesyn; y rhai uchaf heb goesyn.

Ffrwythau: Capsiwlau cromennog, gyda llawer o hadau bychan, bach.

Planhigion Tebyg: Mae'r clychlys dail danadl *(Campanula trachelium)* yn fwy blewog, gyda dail siâp triongl a blodau glas tywyllach ac mae ei leoliad yn fwy deheuol; mae hefyd i'w weld yn ne ddwyrain Iwerddon.

I	Ch	M	E	M	M
G	A	M	H	T	Rh

Clychlys crwydrol

Campanula rapunculoides

Creeping bellflower

Planhigyn lluosflwydd, unionsyth, melfedaidd neu di-flew, ac mae'r gwreiddiau ymledol yn creu clystyrau. Planhigyn sy'n tyfu ar y cloddiau, prysgwydd, glaswelltir ac ochrau'r ffyrdd, ac mae'n chwyn yn yr ardd. Mae i'w gael ar wasgar drwy Ynysoedd Prydain, heblaw gogledd yr Alban a de orllewin Lloegr, ac ar arfordir dwyreiniol Iwerddon. Mae'n blanhigyn gwyllt cyffredin dros y rhan fwyaf o ogledd Ewrop, a chafodd ei gyflwyno i'r gerddi ym Mhrydain ac Iwerddon, er ei fod bellach wedi dianc i'r gwyllt. Mae'r gwreiddiau clorog, gwyn wedi cael eu defnyddio fel llysieuyn.

FFEIL FFEITHIAU

Taldra: 40-100cm.

Blodau: Fioled/glas, yn siâp cloch gul, 2-3cm o hyd, mewn sbigyn hir, 1 ochrog, crand, dannedd y calycs wedi'u plygu yn ôl pan fydd yn blodeuo.

Dail: Hirgrwn, danheddog, ar goesyn; y rhai uchaf heb goesyn.

Ffrwythau: Capsiwlau cromennog, gyda nifer o hadau pitw.

Planhigion Tebyg: Mae'r clychlys clystyrog *(Campanula glomerata)* yn fyrrach, gyda blodau sydd fwy neu lai mewn clystyrau ar y pen, yn gyffredin mewn rhai mannau ar bridd calchog yn Lloegr, de Cymru a dwyrain yr Alban.

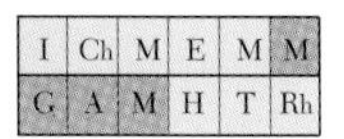

I	Ch	M	E	M	M
G	A	M	H	T	Rh

Clych yr eos

Campanula rotundifolia Harebell

Planhigyn lluosflwydd, main, unionsyth neu'n esgynnol, ychydig ganghennog, di-flew, ymledol sy'n tyfu ar laswelltir sych, cloddiau, rhostir, tir creigiog a thwyni tywod. Mae sudd gwyn, llaethog i'w weld pan dorrir y planhigyn. Dyma'r planhigyn sy'n cael ei adnabod fel *'the Bluebell of Scotland'*, tra cyfeirir yno at glychau'r gog fel yr hiasinth gwyllt. Mae'n rhywogaeth amrywiol sydd angen mwy o astudiaeth; mae gan y planhigion sy'n tyfu ar yr arfordir gorllewinol lai o flodau gweddol fawr, ac mae rhai botanegwyr yn ystyried eu bod yn rhywogaeth wahanol.

FFEIL FFEITHIAU

Taldra: 10-50cm.

Blodau: Fioled/glas, siâp cloch, 12-20mm o hyd, yn crymu pen, mewn clystyrau agored, llac, canghennog; dannedd calycs cul iawn, pigfain.

Dail: Y rhai isaf yn siâp calon, crwn, danheddog, ar goesyn; y rhai uchaf yn siâp gwaywffon, fymryn yn ddanheddog.

Ffrwythau: Capsiwlau conigol fwy neu lai, gyda llawer o hadau bychan, bach, yn crymu pen pan fyddant yn aeddfed.

Planhigion Tebyg: Mae'r clychlys eraill yn fwy nobl ac yn llai cain a chywrain.

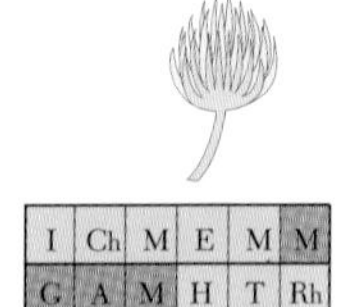

I	Ch	M	E	M	M
G	A	M	H	T	Rh

Clefryn

Jasione montana Sheep's-bit

Planhigyn unflwydd, eilflwydd neu luosflwydd byrhoedlog , unionsyth neu'n esgynnol sy'n gyffredin ar rostir, cloddiau sych, creigiau a chlogwyni, yn bennaf ar dir asid, tywodlyd neu garegog. Mae'r planhigion o'r clogwyni a'r muriau ger y môr ar yr arfordir gorllewinol yn fwy nobl ac mae ganddynt flodau 20-35mm ar draws. Gellir gwahaniaethu'r clefryn, sy'n edrych fel un o'r clafrllys (t. 191-2), drwy'r brigerau, sydd ddim yn ymestyn allan o'r blodau (gweler hefyd planhigion tebyg). Mae glas yn lliw anarferol ymhlith ein blodau gwyllt cynhenid.

FFEIL FFEITHIAU

Taldra: 10-50cm.

Blodau: Glas, tua 5 mm o hyd, 5 llabed, pen siâp hemisffer 10-25mm ar draws, ar ben coesyn hir; bractau hirgrwn neu driongl.

Dail: Yn hirgul neu siâp gwaywffon, gydag ochr grych sydd naill ai heb ddannedd neu fymryn yn ddanheddog.

Ffrwythau: Capsiwlau siâp ŵy.

Planhigion Tebyg: Mae gan glafrllys y maes a'r clafrllys bach (t. 192) flodau lliw lelog mewn pen gwastad sydd fel rheol yn fwy na 25mm ar draws; mae tamaid y cythraul (t. 191) yn blanhigyn talach, mwy nobl gyda blodau mwy, glas/borffor.

I	Ch	M	E	M	M
G	A	M	H	T	Rh

Byddon chwerw

Eupatorium cannabinum Hemp agrimony

FFEIL FFEITHIAU

Taldra: 30-180cm.

Blodau: Pinc neu goch/lelog, 5-6 mewn pennau sy'n 3-4mm ar draws, heb flodigau rheiddiol, mewn clystyrau canghennog, gyda phen gwastad.

Dail: Mewn parau gyferbyn â'i gilydd, 3 i 5 llabed, y llabedau'n siâp gwaywffon, danheddog a'r rhai canol yn hwy.

Ffrwythau: Pennau o ffrwythau 1 hedyn, pob un gyda pharasiwt o flew gwyn.

Planhigion Tebyg: Mae tebygrwydd arwynebol gan y planhigyn i lysiau Cadwgan (t. 188) sydd â dail cyfansawdd neu ddail wedi'u llabedu'n ddwfn.

Planhigyn lluosflwydd, unionsyth, cadarn, deiliog, melfedaidd gyda choesynnau cochlyd, sy'n ffurfio clystyrau mewn coedydd gwlyb, corsydd, cloddiau, mannau glaswelltog, llaith a phrysgwydd, weithiau ar draethau graean bras neu rhwng creigiau calchfaen. Mae'n blanhigyn cyffredin, ond fwy neu lai ar yr arfordir yn unig yn yr Alban; mewn rhai mannau yn Iwerddon, ble mae amrywiad corblanhigyn yn tyfu yn y Burren, Swydd Clare. Mae ail hanner yr enw gwyddonol, *'cannabinum'*, yn adlewyrchu tebygrwydd y dail i gywarch *(Cannabis sativa)*, sy'n perthyn i'r hopys (t. 11).

Eurwialen

Solidago virgaurea Golden-rod

I	Ch	M	E	M	M
G	A	M	H	T	Rh

Planhigyn lluosflwydd, unionsyth, ychydig yn ganghennog, fymryn yn felfedaidd sy'n tyfu mewn coedlannau agored, sych, rhostir, cloddiau a thir creigiog, yn arbennig ar bridd asidig sydd â draeniad da. Mae'n gyffredin, ond mewn ambell fan yn unig yng nghanolbarth Iwerddon, canolbarth Lloegr ac East Anglia. Mae trwyth o'r planhigyn hwn wedi cael ei ddefnyddio fel llysieuyn meddyginiaethol. Mae'n rhywogaeth amrywiol iawn: corblanhigion a geir yn y Burren, Swydd Clare sy'n blodeuo ym Mehefin a Gorffennaf, tra bo'r mwyafrif o'r planhigion yn dal ac yn blodeuo yn ystod Awst a Medi.

FFEIL FFEITHIAU

Taldra: 20-180cm.

Blodau: Mewn pennau 3-5mm ar draws, heb flodigau rheiddiol, wedi'u casglu mewn sbigynnau canghennog.

Dail: Gwyrdd tywyll, ychydig fel lledr; y dail isaf mewn rosét llac, siâp llwy; dail y coesyn yn gulach ac yn siâp gwaywffon.

Ffrwythau: Pennau o ffrwythau 1 hedyn, pob un gyda choron o flew brown.

Planhigion Tebyg: Mae eurwialen yr ardd *(Solidago altissima)* yn dalach gyda phennau blodau bychan, bach mewn clystyrau 1 ochrog, trwchus.

I	Ch	M	E	M	M
G	A	M	H	T	Rh

Yn blodeuo gydol gaeafau mwyn

Llygad y dydd

Bellis perennis Daisy

Planhigyn lluosflwydd, cudynnog, melfedaidd gyda choesynnau unionsyth. Mae'n blanhigyn hynod gyfarwydd sydd i'w gael ym mhobman ac sy'n cael ei gysylltu'n agos gyda lawntiau; ceir llygad y dydd ar lawntiau bychan mewn dinas, hyd yn oed. Mae hen gynefin glaswelltog y planhigyn yn awr yn llawer iawn llai, ond gellir gweld llygad y dydd o hyd ar gloddiau ger y môr, neu gloddiau sy'n cael eu pori ymhell o'r arfordir, ac mewn mynwentydd. Tyfir amrywiadau mwy mewn gerddi. Mae'r blodau'n cau fin nos ac ar ddyddiau heb haul neu pan fo'n glawio.

FFEIL FFEITHIAU

Taldra: 5-20cm.

Blodau: Pennau unigol 1-3cm ar draws, blodigau y canol yn felyn, y blodigau allanol neu reiddiol yn wyn, gyda gwawr goch neu borffor ar ochr isaf y petal.

Dail: Y cyfan wrth y bôn, siâp llwy, ar goesyn, yn bŵl ddanheddog, fymryn yn noddlawn a theimlad fel lledr.

Ffrwythau: : Pennau o ffrwythau 1 hedyn, y cyfan heb flew.

Planhigion Tebyg: Mae'r llygad llo mawr (t. 211), sy'n aml yn tyfu'n gyfagos, yn blanhigyn llawer mwy ac yn fwy cadarn na hyd yn oed llygad y dydd a dyfir fel cnwd.

I	Ch	M	E	M	M
G	A	M	H	T	Rh

Seren y morfa

Aster tripolium Sea aster

Planhigyn unflwydd, eilflwydd neu luosflwydd, unionsyth, noddlawn. Mae digonedd ohono'n tyfu ar forfa heli a glannau afonydd ble mae'r llanw'n cyrraedd ar arfordir Ynysoedd Prydain ac Iwerddon. Fe'i ceir hefyd ar glogwyni a chreigiau'r arfordir yn y gorllewin, ac mewn rhai corsydd hallt yng nghanolbarth Lloegr. Mewn rhai mannau yn Lloegr, er enghraifft aber y Tafwys, does gan rai o'r blodau ddim blodigau allanol neu reidden. Arferid tyfu'r blodyn yma yn y gerddi cyn i ffarwel haf gael ei gyflwyno o Ogledd America yn yr 17eg ganrif.

FFEIL FFEITHIAU

Taldra: 20-80cm, weithiau cymaint â 150cm.

Blodau: Pennau yn 10-25mm ar draws, y blodigau canol yn felyn, 10-30 o flodigau rheiddiol lliw porffor golau neu lelog (neu'n absennol), mewn clystyrau llac.

Dail: Siâp gwaywffon, danheddog fel rheol.

Ffrwythau: Pennau o ffrwythau 1 hedyn, pob un gyda pharasiwt o flew gwyn.

Planhigion Tebyg: Mae ffarwel haf *(Aster novae-belgii)* yn aml yn dianc o'r gerddi; mae'n dalach, nid yw'n noddlawn, ac mae'n ffurfio clystyrau ar dir anial ac arglawdd rheilffordd.

I	Ch	M	E	M	M
G	A	M	H	T	Rh

Amrhydlwyd Canada

Conyza canadensis Canadian fleabane

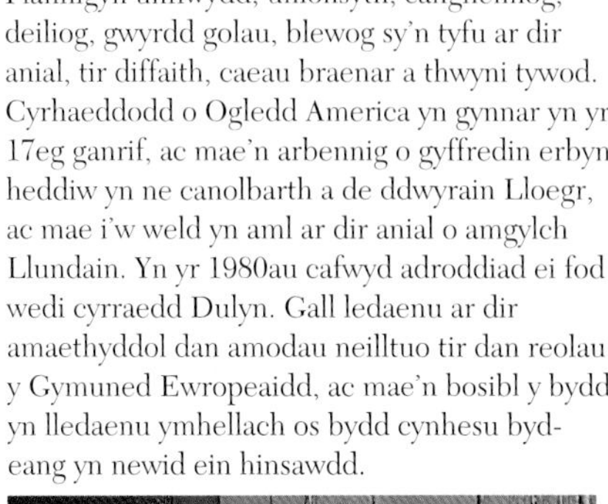

Planhigyn unflwydd, unionsyth, canghennog, deiliog, gwyrdd golau, blewog sy'n tyfu ar dir anial, tir diffaith, caeau braenar a thwyni tywod. Cyrhaeddodd o Ogledd America yn gynnar yn yr 17eg ganrif, ac mae'n arbennig o gyffredin erbyn heddiw yn ne canolbarth a de ddwyrain Lloegr, ac mae i'w weld yn aml ar dir anial o amgylch Llundain. Yn yr 1980au cafwyd adroddiad ei fod wedi cyrraedd Dulyn. Gall ledaenu ar dir amaethyddol dan amodau neilltuo tir dan reolau y Gymuned Ewropeaidd, ac mae'n bosibl y bydd yn lledaenu ymhellach os bydd cynhesu byd-eang yn newid ein hinsawdd.

FFEIL FFEITHIAU

Taldra: 30-180cm.

Blodau: Pennau 3-5mm ar draws, y blodigau canol a'r rheiddiol yn wyn neu binc, nifer mewn clystyrau hir, canghennog, llac.

Dail: Cul, siâp gwaywffon, heb ddannedd neu'n fân ddanheddog.

Ffrwythau: Pennau o ffrwythau 1 hedyn, pob un gyda pharasiwt o flew gwyn.

Planhigion Tebyg: Mae aelodau o'r grŵp edafeddog i gyd yn llawer llai, ac yn blanhigion unflwydd sy'n edrych fel gwlân gwyn; mae gan edafeddog y gors (t. 203) flodau mewn clystyrau â phen gwastad.

I	Ch	M	E	M	M
G	A	M	H	T	Rh

FFEIL FFEITHIAU

Taldra: 20-60cm.

Blodau: Pennau 15-30 ar draws, blodigau y canol a'r rheiddiol yn aur felyn, nifer mewn clystyrau llac, pen gwastad.

Dail: Hirgul neu siâp gwaywffon, crych, rhyw frith ddanheddog.

Ffrwythau: Pennau o ffrwythau 1 hedyn, y rhai mewnol gyda pharasiwt o flew.

Planhigion Tebyg: Mae marchalan *(Inula helenium)*, sy'n blanhigyn mwy cadarn hyd at 1m o daldra gyda phennau blodeuog 5-8cm ar draws, wedi ei ddefnyddio fel hen lysieuyn meddyginiaethol ac fe'i gwelir fel arfer yn ymyl tai a murddunod.

Cedowydd

Pulicaria dysenterica Common fleabane

Planhigyn lluosflwydd, unionsyth, canghennog, braidd yn flewog gydag ymledyddion, sy'n ffurfio clystyrau mawr mewn corsydd, ffosydd, pantiau llaith a chaeau gwlyb. Mae'n aml i'w weld ar dir sydd wedi ei bori, neu'i droi, glaswelltir llaith, yn arbennig ar bridd cleiog. Mae Geoffrey Grigson yn disgrifio'r planhigyn yn ei lyfr *'The Englishman's Flora'*, fel hyn: *"The yellow 'daisy' of the wide, damp, rushy road-verges"*. Mae ar ei fwyaf cyffredin yn ne Lloegr, ac yn brinnach po fwyaf yr ewch i'r gogledd; mae'n brin yng ngogledd yr Alban, ond yn gyffredin yn Iwerddon.

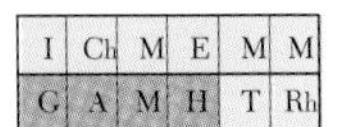

Edafeddog y gors

Filaginella uliginosa Marsh cudweed

Planhigyn unflwydd, cudynnog, canghennog, sy'n ymledu neu'n esgyn, llwyd golau, gwlanog sy'n tyfu ar dir agored, llaith, corsydd a rhostir, yn arbennig ar dir wedi'i droi a llwybrau ble gall fod digonedd ohono. Mae i'w weld ym mhobman ym Mhrydain ac Iwerddon. Mae John Gerard yn ei *Herball* yn 1597 yn rhoi eglurhad pam yr adwaenir y planhigyn fel *'Son-afore-the-father'* yn yr Alban: *'bicause the yonger, or those flowers that spring up later, are higher, and over top those that come first as many wicked children do unto their parents!'*

FFEIL FFEITHIAU

Taldra: 5-20cm.

Blodau: Pennau 3-4mm ar draws, mae'r blodigau canol a'r rheiddiol yn felyn/brown, 3-10 mewn clystyrau trwchus, bractau brown golau o'u hamgylch a dail tebyg i fractau.

Dail: Hirgul neu siâp llwy, hyd at 5cm o hyd, heb ddannedd neu weithiau fymryn yn ddanheddog, blew trwchus fel gwlân.

Ffrwythau: Pennau o ffrwythau 1 hedyn, pob un gyda pharasiwt o flew.

Planhigion Tebyg: Un o'r rhai mwyaf cyffredin o nifer o wahanol rywogaethau o edafeddog, grŵp cymhleth sy'n apelio'n unig at fotanegwyr sydd o ddifrif.

I	Ch	M	E	M	M
G	A	M	H	T	Rh

Graban teiran

Bidens tripartita Trifid bur-marigold

Planhigyn unflwydd, unionsyth, braidd yn aflêr, canghennog, yn aml yn flewog, gyda choesynnau adeiniog, lliw porffor. Tyf ar ymylon llynnoedd, pyllau, afonydd a ffosydd neu ar rai sydd wedi sychu, ac ar dir anial, llaith. Bydd nifer yn aml yn tyfu gyda'i gilydd, ac mae i'w gael bron ym mhobman, ond mae'n brin i'r gogledd o Cumbria ac yn Galway. Mae'r ffrwythau, sydd â blew bras, yn glynu'n rhwydd iawn i ddillad (yn arbennig sanau gwlân) a ffwr, ac mae'n ffordd effeithiol o wasgaru'r had. Yn anaml iawn, bydd blodigau rheiddiol melyn gan y pennau blodau.

FFEIL FFEITHIAU

Taldra: 20-60cm.

Blodau: Pennau 10-25mm ar draws, blodigau y canol yn felyn, y blodigau rheiddiol yn absennol fel rheol, mewn clystyrau canghennog gyda 5-8 bract tebyg i ddail.

Dail: Mewn parau gyferbyn â'i gilydd, 3 llabed (yn anaml 5 llabed), siâp gwaywffon ar y llabedau, yn fras ddanheddog.

Ffrwythau: Pennau o ffrwythau 1 hedyn, wedi'u fflatio, siâp lletem, pob un gyda blew ochrol sy'n troi at i lawr a 3-4 blew yn bras bachog.

Planhigion Tebyg: Mae gan y graban gogwydd *(Bidens cernua)* ddail siâp gwaywffon a phennau blodau sy'n siglo.

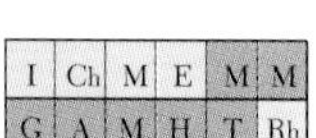

Galinsoga

Galinsoga parviflora Gallant soldier

Planhigyn unflwydd, sydd bron yn ddi-flew, canghennog sy'n tyfu ar dir âr; weithiau bydd digonedd ohono mewn gerddi, rhandiroedd, meithrinfeydd a chnydau llysiau, yn arbennig yn ne-ddwyrain Lloegr. Cyflwynwyd ef o Periw, a dihangodd o Erddi Kew yn ystod yr 1860au a lledaenu drwy'r rhan fwyaf o Brydain; yn ystod y 1980au cafwyd adroddiadau iddo gyrraedd Iwerddon. Llwyddodd i gael enw poblogaidd yn Saesneg ychydig flynyddoedd ar ôl iddo gyrraedd yma. Mae blew bras bychan, bach ar y ffrwythau, sy'n glynu'n rhwydd wrth ddillad neu ffwr, ac felly'n hwyluso gwasgaru'r had.

FFEIL FFEITHIAU

Taldra: 10-80cm.

Blodau: Pennau o flodigau melyn 3-5 mm ar draws, pob un gyda 5 (weithiau 4 neu 6) o flodigau rheiddiol, bychan, gwyn.

Dail: Mewn parau gyferbyn â'i gilydd, hirgrwn, gydag ychydig ddannedd mawr ar yr ymylon.

Ffrwythau: Bychan, bach, wedi'u fflatio, du, gyda blew mân iawn a twffyn o gen ar un pen.

Planhigion Tebyg: Mae'r galinsoga blewog *(Galinsoga quadriradiata)* hefyd yn chwyn, ond yn llai cyffredin, a gyflwynwyd o dde America. Mae ganddo goesynnau â blew trwchus.

Amranwen ddi-sawr

Matricaria perforata Scentless mayweed

I	Ch	M	E	M	M
G	A	M	H	T	Rh

FFEIL FFEITHIAU

Taldra: 10-80cm.

Blodau: Pennau 30-45mm ar draws, gyda blodigau canol melyn a blodigau rheiddiol gwyn, unigol neu mewn clystyrau llac iawn.

Dail: Cyfansawdd, pluog, gyda nifer o segmentau cul.

Ffrwythau: Pennau o ffrwythau 1 hedyn gyda rhesi mân iawn arnynt, di-flew.

Planhigion Tebyg: Mae'n anodd gwahaniaethu rhwng y gwahanol rywogaethau o amranwen. Mae'r camri *(Chamaemelum nobile)* yn blanhigyn poblogaidd yn yr ardd ond prin ar rostiroedd; planhigyn lluosflwydd, aromatig sy'n ffurfio mat, ac mae pennau'r blodau yn 18-25mm ar draws.

Planhigyn unflwydd, unionsyth neu'n esgynnol, aml ganghennog. Tyf ar dir âr, ochrau caeau, ochrau'r ffyrdd a thir anial. Rhywogaeth amrywiol: mae planhigion tebyg o lan y môr a thraethau graenan bras gyda dail noddlawn a blodau ychydig yn fwy, yn aml yn cael eu dosbarthu fel rhywogaeth wahanol, yr amranwen arfor. Er bod yr amranwen ddi-sawr yn chwyn cyffredin a llwyddiannus, mae niferoedd sawl amranwen arall wedi gostwng yn sylweddol ers 1945, o ganlyniad i ddulliau amaethu modern a phlaladdwyr.

I	Ch	M	E	M	M
G	A	M	H	T	Rh

Chwyn pinafal

Matricaria discoidea Pineapple weed

Planhigyn unflwydd, unionsyth, yn stiff ganghennog, arogl aromatig sy'n tyfu ar ochrau llwybrau, yn arbennig wrth glwydi caeau a mannau eraill ble ceir sathru, tir anial a thir âr. Mae arogl afal pîn (afal, medd rhai) ar y planhigyn pan gaiff ei gleisio. Mae'r chwyn hwn mor llwyddiannus drwy'r byd i gyd fel na ŵyr neb yn union ble cychwynnodd (gorllewin UDA fwy na thebyg). Cafodd ei gofnodi am y tro cyntaf ym Mhrydain yn 1871, ac yn Iwerddon yn 1894, ac fe ledaenodd drwy'r rhan fwyaf o Ynysoedd Prydain yn ystod chwarter cyntaf yr 20fed ganrif.

FFEIL FFEITHIAU

TALDRA: 5-40cm.

BLODAU: Pennau bron yn sfferaidd, 5-9mm ar draws, blodigau gwyrdd/felyn; dim blodigau rheiddiol.

DAIL: Cyfansawdd, pluog, gyda nifer o segmentau cul.

FFRWYTHAU: Pennau o ffrwythau 1 hedyn, di-flew.

PLANHIGION TEBYG: Planhigyn nodedig. Mae gan yr amranwen ddi-sawr (t. 206) ac eraill o deulu'r amranwen flodigau rheiddiol gwyn, sy'n eu gwneud yn debyg i lygad y dydd.

I	Ch	M	E	M	M
G	A	M	H	T	Rh

Milddail

Achillea millefolium Yarrow

Planhigyn lluosflwydd, unionsyth, coesyn gwydn, blewog, aromatig, sy'n ffurfio clystyrau. Planhigyn cyffredin sy'n tyfu ar laswelltir sych, cloddiau a thir anial, ac yn nodwedd amlwg o lain y pentref, ochrau'r ffyrdd a lawntiau sydd heb eu torri yn niwedd haf. Mae'n gallu gwrthsefyll sychdwr ac yn ystod cyfnodau sych, gellir ei weld nid yn unig yn wyrdd ond yn llawn blodau ar lawntiau brown ac ochrau'r ffyrdd sydd wedi hen sychu. Mae'n rhywogaeth amrywiol mewn maint a lliw y blodau: mae llawer o'r amrywiadau o'r lliwiau yn ffefrynnau yn yr ardd.

FFEIL FFEITHIAU

Taldra: 10-100cm.

Blodau: Pennau 3-6 mm ar draws, gyda blodigau canol hufen neu wyn a 5 o flodigau rheiddiol gwyn neu binc/porffor, mewn clystyrau â phen gwastad.

Dail: Tebyg i redyn ac yn bluog gyda nifer o segmentau cul.

Ffrwythau: Pennau tebyg i gnau, ffrwythau 1 hedyn, di-flew.

Planhigion Tebyg: Mae gan yr ystrewlys *(Achillea ptarmica)*, sy'n tyfu ar rostir llaith a chorsydd, ddail danheddog, heb eu rhannu a chlystyrau o bennau blodau 12-18mm ar draws, gyda blodigau canol gwyrdd a blodigau rheiddol gwyn.

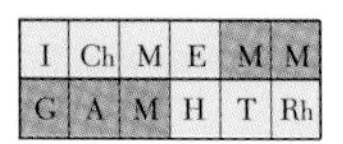

I	Ch	M	E	M	M
G	A	M	H	T	Rh

Melyn yr ŷd

Chrysanthemum segetum Corn marigold

Planhigyn unflwydd, unionsyth neu'n esgynnol, yn aml yn ganghennog, di-flew, gwyrddlas sy'n tyfu ar dir âr, ochrau'r ffyrdd a thir anial. Arferai fod yn niwsans fel chwyn ar dir âr, yn arbennig ar dir mwy asidig, tywodlyd. Mae i'w gael ym mhobman yng ngwledydd Prydain ac Iwerddon ond ei niferoedd yn gostwng, er y gall ei ddefnyddio mewn pacedi masnachol sy'n gymysg o hadau blodau gwyllt newid y duedd hon. Roedd melyn yr ŷd unwaith yn gynhenid yn ardaloedd môr y Canoldir, ac mae'n debyg iddo gyrraedd yma gydag amaethwyr hynafol.

FFEIL FFEITHIAU

Taldra: 15-60cm.

Blodau: Pennau unigol, 35-65mm ar draws, y blodigau canol a rheiddiol yn aur felyn.

Dail: Hirgul ar y cyfan, yn ddwfn ddanheddog, braidd yn noddlawn; y rhai uchaf bron heb ddannedd, yn clymu am y coesyn.

Ffrwythau: Pennau o ffrwythau 1 hedyn, di-flew, y rhai allanol wedi'u fflatio.

Planhigion Tebyg: Mae llygad llo mawr (t. 211) gyda blodigau rheiddiol gwyn.

I	Ch	M	E	M	M
G	A	M	H	T	Rh

Tansi

Tanacetum vulgare Tansy

Planhigyn lluosflwydd, unionsyth, deiliog, yn felys aromatig, sy'n ffurfio clystyrau, a choesyn sy'n ganghennog yn y pen uchaf. Tyf ar dir anial, ochrau'r ffyrdd, bôn clawdd a glannau afon, yn aml o amgylch tai neu furddunod. Mae wedi cael ei ddefnyddio fel llysieuyn llesol ers tro byd. Mae'n gynhwysyn o'r pwdin tansi a arferid ei fwyta dros y Pasg, ac o'r *'drisheen'*, pwdin gwaed llawn sbeis o dde orllewin Iwerddon. Fel aelodau aromatig eraill o deulu llygad y dydd a dant y llew, mae'r dail newydd eu torri yn cadw pryfetach draw.

FFEIL FFEITHIAU

Taldra: 50-150cm.

Blodau: Pennau 7-12mm ar draws, aur felyn, heb flodigau rheiddiol, 10-70 mewn clystyrau pen gwastad.

Dail: Tebyg i redyn, hirgul, wedi'u llabedu'n ddwfn, danheddog, gwyrdd tywyll.

Ffrwythau: Pennau o ffrwythau 1 hedyn gyda rhesi arnynt, di-flew.

Planhigion Tebyg: Mae'r wermod wen *(Tanacetum parthenium)* yn llai gyda dail melyn/wyrdd, a phennau blodau gyda blodigau rheiddiol gwyn; nid yw i'w weld ymhell o dai fel rheol.

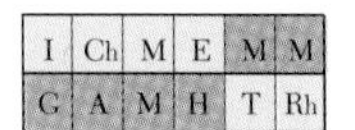

Llygad llo mawr

Leucanthemum vulgare Ox-eye daisy

Planhigyn lluosflwydd byrhoedlog, unionsyth, heb ganghennau fel rheol. Planhigyn nodweddiadol o hen weirgloddiau, mynwentydd, glaswelltir arfordirol a thwyni tywod. Rhywogaeth amrywiol: er enghraifft, ceir corblanhigion ar glogwyni a rhostir yr arfordir. Yn ddiweddar, daeth yn nodwedd amlwg ar ochrau traffyrdd sydd wedi eu hau. Mae planhigion cadarnach, canghennog wedi dod o hadau blodau gwyllt masnachol, ac wedi tarddu o'r ardd yn wreiddiol, mae'n debyg.

FFEIL FFEITHIAU

Taldra: 20-100cm.

Blodau: Pennau 25-50mm ar draws, gyda'r blodigau canol yn felyn a'r blodigau rheiddiol yn wyn; bractau gydag ymylon brown neu ddu.

Dail: Siâp hirgrwn neu siâp llwy, danheddog, gwyrdd tywyll; y rhai uchaf yn hirgul, yn gafael yn y coesyn.

Ffrwythau: Pennau o ffrwythau 1 hedyn, di-flew.

Planhigion Tebyg: Mae'n blanhigyn llawer mwy na llygad y dydd (t. 199), sydd i'w weld ar laswelltir mewn cynefinoedd tebyg.

I	Ch	M	E	M	M
G	A	M	H	T	Rh

Y Feidiog lwyd

Artemisia vulgaris Mugwort

Planhigyn lluosflwydd, unionsyth, gwydn, blêr sy'n tyfu ar ochrau llwybrau sych, tiroedd anial a diffaith, bron bob amser yn agos i adeiladau neu ffyrdd. Ddiwedd yr haf, mae i'w weld yn blodeuo ar ochrau ffyrdd trefol a maestrefol, safleoedd dymchwel adeiladau, pafin wedi cracio a thir anial. Defnyddiwyd y dail wedi iddynt gael eu sychu yn lle baco. Fel yr eirinllys trydwll (t. 101), arferid ei ddefnyddio i gadw ysbrydion drwg draw fel rhan o ddathliadau paganaidd heuldro'r haf ar Alban Hefin.

FFEIL FFEITHIAU

Taldra: 50-180cm.

Blodau: Bychan bach, mewn pennau siâp ŵy coch/frown, 2-3cm ar draws, heb flodigau rheiddiol, wedi'u grwpio mewn clystyrau llac.

Dail: Sawl llabed, y llabedau'n siâp gwaywffon neu hefyd wedi'u llabedu'n ddwfn, di-flew ar yr ochr uchaf, blew gwyn ar ochr isaf y ddeilen.

Ffrwythau: Pennau tebyg i gneuen, ffrwythau 1 hedyn, di-flew.

Planhigion Tebyg: Mae'r wermod lwyd *(Artemisia absinthium)* yn aromatig, gyda dail ariannaidd a blew fel sidan; mae hefyd i'w weld ar dir anial neu yn agos at dai neu furddunod.

I	Ch	M	E	M	M
G	A	M	H	T	Rh

Carn yr ebol

Tussilago farfara Colt's-foot

Planhigyn lluosflwydd, unionsyth gyda gwreiddgyff tew, ymledol, sy'n ffurfio clystyrau mawr ar ddarnau agored o dir anial, ochrau'r ffyrdd, glannau afonydd a nentydd, a chlogwyni isel yr arfordir. Fe'i gwelir yn aml ar bridd cleiog, ac mae'n un o'r rhai cyntaf i ymsefydlu ar lannau cleiog afonydd ac wrth lan y môr. Mae'n un o'r planhigion sy'n byw ar dir a adewir yn llwm pan gilia rhewlifau Alpaidd. Mae gan garn yr ebol enw da fel llysieuyn llesol sy'n gwella peswch ac anhwylderau'r frest. Y blodau yw un o arwyddion cynta'r gwanwyn.

FFEIL FFEITHIAU

Taldra: 10-30cm.

Blodau: Pennau melyn ar goesynnau nobl, cennog; ychydig o flodigau canol, y blodigau rheiddiol yn oren oddi tanynt, mewn pennau 20-35mm ar draws.

Dail: Yn ymddangos ar ôl y blodau, y cyfan wrth y bôn, siâp calon (neu garn yr ebol) hyd at 25cm ar draws, fel gwe pry cop dan y ddeilen (ac ar yr ochr uchaf i ddechrau).

Ffrwythau: Pennau o ffrwythau 1 hedyn, pob un gyda pharasiwt o flew hir.

Planhigion Tebyg: Blodigau rheiddiol yn unig sydd gan ddant y llew (t. 224), a chynhyrchir y blodau ar goesynnau hen ddail yr un pryd â'r blodau.

I	Ch	M	E	M	M
G	A	M	H	T	Rh

Alan mawr

Petasites hybridus Butterbur

Planhigyn lluosflwydd, unionsyth gyda gwreidd-gyff ymledol yn ffurfio clystyrau mawr, amlwg; yn gyffredin mewn rhai ardaloedd ar lannau nentydd ac afonydd, mewn coedydd llaith ac ar ochrau'r ffyrdd. Mae'n well ganddo bridd tywodlyd neu bridd â draeniad da. Mae clystyrau nobl y blodau yn olygfa drawiadol ddechrau'r gwanwyn; yn ddiweddarach bydd dail anferth yn ffurfio dryslwyni. Gwryw yw'r rhan fwyaf o blanhigion. Mae'r blodyn benywaidd, gyda phennau blodau sy'n ymestyn yn sylweddol pan fyddant yn ffrwytho, yn gyfyngedig ei ddosbarthiad, a cheir y mwyafrif yng ngogledd Lloegr.

FFEIL FFEITHIAU

Taldra: 10-30cm, y planhigion benywaidd yn ymestyn i 60cm.

Blodau: Lelog golau neu felynaidd, dim perarogl, mewn pennau mawr.

Dail: Yn ymddangos ar ôl y blodau, y cyfan wrth y bôn, tebyg i ddail riwbob, hyd at 1m ar draws, danheddog, fel gwe pry cop dan y ddeilen (ac ar yr ochr uchaf i ddechrau).

Ffrwythau: Pennau o ffrwythau 1 hedyn, pob un gyda pharasiwt o flew.

Planhigion Tebyg: Mae gan yr alan pêr *(Petasites fragrans)* flodau â pherarogl cryf arnynt, mewn clystyrau llac, a gynhyrchir o Dachwedd i Fawrth gyda'r dail; mae wedi dianc o'r ardd.

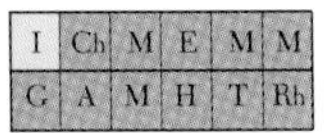

Yn blodeuo gydol gaeafau mwyn

Creulys

Senecio vulgaris Groundsel

Planhigyn unflwydd, unionsyth, canghennog, braidd yn flewog sy'n tyfu ar dir anial, muriau, llwybrau a phalmentydd, tir âr, twyni tywod a thraethau graean bras. Y creulys yw un o flodau cyntaf diwedd y gaeaf a dechrau'r gwanwyn, ynghyd â gwlydd y dom (t. 25), pwrs y bugail (t. 47) a'r farddanhadlen goch (t. 154). Weithiau ceir planhigion gyda blodigau allanol neu reiddiol byrrach drwy groesi gyda chreulys Rhydychen (t. 217). Mae hanner cyntaf yr enw gwyddonol, *Senecio*, yn cyfeirio at y ffrwythau gwyn. Ystyr *senex* yn Lladin yw 'hen ddyn'.

FFEIL FFEITHIAU

Taldra: 5-40cm.

Blodau: Melyn, fel pennau brws eillio 4-5mm ar draws, fel rheol heb flodigau rheiddiol, mewn clystyrau llac.

Dail: Llabedau bras a phŵl ac yn afreolaidd ddanheddog.

Ffrwythau: Pennau o ffrwythau 1 hedyn, pob un gyda pharasiwt o flew.

Planhigion Tebyg: Mae gan rywogaethau eraill o'r creulys flodigau rheiddiol amlwg neu fractiau blewog, gludiog.

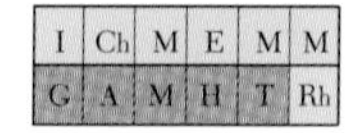

Llysiau'r gingroen

Senecio jacobaea Ragwort

Planhigyn eilflwydd, unionsyth, deiliog neu yn lluosflwydd byrhoedlog sy'n tyfu ar ochrau'r ffyrdd, tir anial, porfa, twyni tywod a thraethau graean bras. Mae arogl anghynnes ar y dail pan gânt eu cleisio, a dyna pam y ceir enwau lleol disgrifiadol fel *'Stinking Willie'*. Mae'n blanhigyn gwenwynig a gall fod yn niwsans ac yn beryglus i dda byw, a cheffylau yn arbennig. Mae lindys gwyfyn y creulys yn bwydo ar lysiau'r gingroen, gan gronni'r cemegau gwenwynig i ddiogelu eu hunain rhag adar. Mae ganddynt streipiau du a melyn llachar i

FFEIL FFEITHIAU

Taldra: 30-150cm.

Blodau: Melyn llachar mewn pennau sy'n 15-25 mm ar draws, gyda blodigau rheiddiol, yn aml mewn clystyrau â phen gwastad, trwchus.

Dail: Siâp telyn fach neu llabedau dwfn, yn anghyson ddanheddog, blewog dan y ddeilen; y dail uchaf yn gafael am y coesyn.

Ffrwythau: Pennau o ffrwythau 1 hedyn, pob un gyda pharasiwt o flew.

Planhigion Tebyg: Mae gan greulys Rhydychen (t. 217) ddail llabedog, ond gyda rhannau llai cymhleth dyranedig, danheddog a chlystyrau o bennau blodau mwy llac.

Creulys Rhydychen

Senecio squalidus Oxford ragwort

Planhigyn unflwydd, eilflwydd neu luosflwydd, unionsyth neu'n esgynnol, canghennog. Tyf ar furiau, adfeilion, tir anial, llwybrau ac ochrau'r ffyrdd, ac yn arbennig ar falast rheilffordd. Mae i'w gael yma ac acw drwy Brydain; yn Iwerddon fe'i ceir yn bennaf yn Belfast, Cork a Dulyn. Cafodd ei gyflwyno o fynyddoedd de Ewrop, ond fe ddihangodd o Erddi Botaneg Rhydychen i'r muriau yn ystod y 19eg ganrif, ac wedyn ar hyd y rheilffordd i ranbarthau eraill. Mae'n dal i ledaenu heddiw ac mae i'w weld fel chwyn mewn gerddi.

I	Ch	M	E	M	M
G	A	M	H	T	Rh

FFEIL FFEITHIAU

Taldra: 20-60cm.

Blodau: Melyn llachar, mewn pennau 15-25mm ar draws, gyda'r blodigau rheiddiol mewn clystyrau llac, pen gwastad.

Dail: Llabedau dwfn bras a phŵl, yn anghyson ddanheddog.

Ffrwythau: Pennau o ffrwythau 1 hedyn, pob un gyda pharasiwt o flew.

Planhigion Tebyg: Mae gan lysiau'r gingroen (t. 216) ddail danheddog sydd wedi eu dyrannu'n fwy cymhleth a phennau'r blodau mewn clystyrau mwy trwchus, pen gwastad.

Cacamwci neu'r Cyngaf bach

Arctium minus Lesser burdock

I	Ch	M	E	M	M
G	A	M	H	T	Rh

FFEIL FFEITHIAU

Taldra: 50-150cm.

Blodau: Porffor, mewn pennau sfferaidd, 15-25mm ar draws, mewn clystyrau hir, llac; bractau'n drwchus a bachau arnynt.

Dail: Siâp calon, hyd at 50cm o hyd, fel cotwm ar yr ochr isaf, gyda choesynnau hir, gwag; y dail uchaf yn llai ac yn gulach.

Ffrwythau: Masglau siâp ŵy 20-35mm ar draws, oddi fewn i gylchamlen o flew stiff â bachau arnynt; gwasgerir pob pen ar wahân.

Planhigion Tebyg: Mae llai o bennau blodau, 30-45mm ar draws, gan y cyngaf mawr *(Arctium lappa).*

Planhigyn eilflwydd, cadarn, deiliog, melfedaidd gyda llawer o goesynnau canghennog; yn gyffredin mewn coedydd sych, ar ochrau'r ffyrdd ac ar dir anial. Mae'r masglau pigog sydd â bach arnynt yn glynu'n rhwydd iawn i ddillad neu ffwr ac felly'n gwasgaru'r had. Yn West Lothian, mae'r *'Burry Man'* yn paredio o amgylch South Queensferry mewn tawelwch llethol wedi'i wisgo mewn siwt o'r masglau pigog yma. Mae'r planhigyn mor nodweddiadol o goedydd ac ochrau ffyrdd nes ei fod yn ymddangos fel manylyn yn narluniau a brasluniau John Constable.

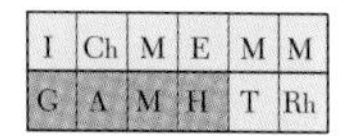

I	Ch	M	E	M	M
G	A	M	H	T	Rh

Marchysgallen

Cirsium vulgare Spear thistle

FFEIL FFEITHIAU

Taldra: 30-180cm.

Blodau: Porffor, peraroglus, mewn pennau siâp ŵy 3-5 cm ar draws, 1-3 mewn clwstwr canghennog; pigyn ar flaen y bractau.

Dail: Siâp gwaywffon, llabedau dwfn, gyda llabedau bras, afreolaidd, pob un â phigyn.

Ffrwythau: Pennau o ffrwythau 1 hedyn, pob un gyda pharasiwt o flew meddal, pluog (manblu'r ysgall).

Planhigion Tebyg: Mae ysgallen y maes *(Cirsium arvense)* yn blanhigyn lluosflwydd sy'n ffurfio clystyrau mawr; pennau blodau lliw porffor gwelw, 15-20mm ar draws, gyda bractau porffor, mewn clystyrau llac.

Planhigyn unflwydd neu eilflwydd, unionsyth, deiliog, yn arbennig o bigog sy'n tyfu ar borfa, ochrau'r ffyrdd a thir anial. Mae'n bur debyg mai dyma wir ysgallen yr Alban; mae'r ysgallen fwy sy'n cario'r enw yn blanhigyn prin yn yr Alban. Dywedir mai'r ysgall oedd yn gyfrifol am atal ymosodiad annisgwyl gan y Daniaid yn ystod Brwydr Largs drwy bigo'r ymosodwyr. Roedd eu gwaedd o boen wedi deffro'r amddiffynwyr. Fel sawl ysgall arall, mae'r blodau'n ddeniadol i gacwn. Bwyteir y ffrwythau yn aml gan larfa chwilod.

I	Ch	M	E	M	M
G	A	M	H	T	Rh

Ysgall y gors

Cirsium palustre Marsh thistle

Planhigyn eilflwydd, unionsyth, ychydig ganghennau, blewog, gwyrdd tywyll neu borffor, gyda (fel rheol) un coesyn adeiniog, pigog. Mae'n gyffredin mewn corsydd, coedydd llaith a mannau glaswelltog, ac ar glogwyni'r arfordir yn y gorllewin. Mae'r rosét o ddail sydd fel olwyn trol fawr a'r coesynnau blodeuog yn nodweddiadol o laswelltir llaith, yn arbennig ble mae'r planhigyn ar ei fwyaf cyffredin, sef ar bridd mwy asid – yng ngogledd a gorllewin Prydain ac yn Iwerddon. Mae'r blodau'n denu cacwn a phryfetach eraill.

FFEIL FFEITHIAU

Taldra: 50-180cm.

Blodau: Porffor neu wyn, mewn pennau siâp ŵy, 15-20mm ar draws, mewn clystyrau niferus, deiliog; bractiau gyda blaen lled bigog.

Dail: Braidd yn gul, siâp gwaywffon, yn ddwfn labedog, gyda ochrau sydd â nifer o bigau.

Ffrwythau: Pennau o ffrwythau 1 hedyn, pob un gyda pharasiwt o flew meddal, pluog.

Planhigion Tebyg: Mae ysgallen y maes *(Cirsium arvense)* yn blanhigyn lluosflwydd sy'n ffurfio clystyrau mawr; pennau blodau lliw porffor gwelw, mewn clystyrau fflat.

I	Ch	M	E	M	M
G	A	M	H	T	Rh

Y bengaled fawr

Centaurea scabiosa Greater knapweed

Planhigyn lluosflwydd, unionsyth, hardd, canghennog, blewog sy'n tyfu ar laswelltir sych, cloddiau, ochrau'r ffyrdd, twyni tywod a chlogwyni'r arfordir, yn arbennig ar dir calch. Gellir ei weld o drên neu gar hyd yn oed, ac mae'r planhigyn amlwg hwn yn arwydd da fod y pridd ar ben calchfaen. Mae i'w gael ym mhobman yn Lloegr, ond yn fwy cyfyngedig yn yr Alban a llawer o Gymru ac Iwerddon. Mae'r pengaled yn grŵp mawr ac amrywiol o rywogaethau yn Ewrop – gwyddys am dros 220, ond dim ond dau sy'n gyffredin ym Mhrydain ac Iwerddon.

FFEIL FFEITHIAU

Taldra: 50-180cm.

Blodau: Coch/porffor mewn pennau 3-5cm ar draws; blodigau rheiddiol yn hir; bractau gwyrdd ag ochrau brown, danheddog.

Dail: Hirgul neu siâp gwaywffon, wedi'u llabedu'n ddwfn.

Ffrwythau: Pennau o ffrwythau 1 hedyn, pob un gyda choron o flew bras, amgaeëdig mewn bractau.

Planhigion Tebyg: Ambell dro mae gan y bengaled (t. 222) flodigau rheiddiol ar goesynnau hir. Mae glas yr ŷd *(Centaurea cyanus)* yn blanhigyn unflwydd, main gyda blodau glas; roedd unwaith yn chwyn yn y cae ŷd, ond bellach wedi dianc o'r ardd.

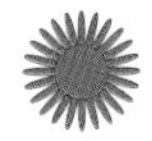

I	Ch	M	E	M	M
G	A	M	H	T	Rh

Y bengaled

Centaurea nigra Common knapweed

Planhigyn lluosflwydd, unionsyth, gyda choesyn gwydn, canghennog, melfedaidd sy'n gyffredin ar laswelltir, ochrau'r ffyrdd a chlogwyni'r arfordir. Eto, fel llawer o'n blodau gwyllt, nid yw mor gyffredin ag y bu yn Lloegr. Mae'r planhigion o'r hen weirgloddiau yn tueddu i flodeuo ynghynt ac yn aml mae ganddynt flodigau allanol neu reiddiol ar goesyn hir yn debyg i'r bengaled fawr (t. 221). Mae pen caled, cnapiog y planhigyn yn rhoi ei enw iddo.

FFEIL FFEITHIAU

Taldra: 30-180cm.

Blodau: Cochlyd neu binc/porffor mewn pennau 2-4cm ar draws; anaml y bydd y blodigau rheiddiol allanol yn hir; bractau brown, eddïog.

Dail: Hirgul neu siâp gwaywffon, y rhai uchaf yn gulach.

Ffrwythau: Pennau o ffrwythau 1 hedyn, gyda choron o flew bras, byr yn amgaeëdig gan fractau.

Planhigion Tebyg: Mae gan y bengaled fawr (t. 221) ddail cyfansawdd a phennau blodau 3-5 cm ar draws, blodigau rheiddiol bob amser ar goesyn.

I	Ch	M	E	M	M
G	A	M	H	T	Rh

FFEIL FFEITHIAU

Taldra: 30-120cm.

Blodau: Glas golau, mewn pennau 3-5cm ar draws, 1-3 yng nghesail y dail uchaf.

Dail: Y dail wrth y bôn mewn rosét, wedi'u llabedu'n ddwfn a bras; y dail uchaf yn siâp gwaywffon, pigfain.

Ffrwythau: Pennau fel cneuen, ffrwythau 1 hedyn, di-flew.

Planhigion Tebyg: Mae'r llaethysgallen las *(Cicerbita macrophylla)* yn blanhigyn unionsyth, hyd at 2m o daldra, y blodau mewn clystyrau pen gwastad, canghennog; wedi'u cyflwyno, fe'u ceir yn bennaf ar ochrau'r ffyrdd.

Ysgellog

Cichorium intybus Chicory

Planhigyn lluosflwydd, unionsyth, blêr, gyda choesynnau rhigolog, yn ganghennog stiff, igam-ogam sy'n tyfu ar dir anial, ochrau'r ffyrdd sych ac ochrau caeau. Mae'n fwyaf cyffredin ar bridd calchog. Mae'r blodau'n edrych ar eu gorau yn y bore, ac yna'n gwywo ar ôl canol dydd. Fe'i tyfir yn helaeth fel cnwd, yn arbennig yn y gerddi, ble mae wedi cael ei werthfawrogi fel llysieuyn salad yn y gaeaf. Mae ganddo hefyd ddefnydd meddyginiaethol (yn bennaf fel diwretig ac i agor y coluddion). Defnyddir y gwreiddiau wedi'u rhostio fel dewis arall yn lle coffi, yn arbennig yng nghanolbarth Ewrop.

I	Ch	M	E	M	M
G	A	M	H	T	Rh

Yn blodeuo gydol gaeafau mwyn

FFEIL FFEITHIAU

Taldra: 5-40cm.

Blodau: Melyn, 25-40mm ar draws, unigol ar ben coesyn hir, gwag, y blodigau rheiddiol allanol yn aml yn wyrdd, brown neu goch oddi tanodd.

Dail: Mewn rosét wrth y bôn, llabedau dwfn neu ddanheddog.

Ffrwythau: Pennau o ffrwythau 1 hedyn, gyda pharasiwt o flew pluog.

Planhigion Tebyg: Mae'r coesyn llyfn, gwag, blodau unigol a'r bractau sy'n troi i lawr yn ffordd o wahaniaethu y rhywogaeth amrywiol hwn.

Dant y Llew

Taraxacum officinale Dandelion

Planhigyn lluosflwydd, cyfarwydd iawn, cudynnog, ychydig iawn o flew, sy'n tyfu ar laswelltiroedd, ochrau'r ffyrdd, twyni tywod, mannau gwlyb, tir agored a thir sydd wedi'i droi, ac yn arbennig fel chwyn ar y lawnt ac yn y borderi. Yn ystod y blynyddoedd diwethaf, am ei fod yn gallu gwrthsefyll ychydig o halen, mae wedi lledaenu'n sylweddol ar hyd ochrau'r ffyrdd; yn Ebrill gall fod yn olygfa hardd iawn. Gellir defnyddio'r gwraidd yn lle coffi, ac fe wnaeth yr hen Undeb Sofietaidd ddefnydd o latecs dant y llew yn lle rwber yn ystod yr Ail Ryfel Byd. Mae'n blanhigyn amrywiol iawn ac mae botanegwyr yn ei ddosbarthu i gannoedd o isrywogaethau.

I	Ch	M	E	M	M
G	A	M	H	T	Rh

Melynydd

Hypochoeris radicata Cat's-ear

FFEIL FFEITHIAU

Taldra: 10-60cm.

Blodau: Melyn, 25-40mm ar draws, unigol, blagur unionsyth, blodigau rheiddiol allanol yn wyrdd neu lwyd oddi tanodd.

Dail: : Mewn rosét wrth y bôn, llabedau dwfn neu ddanheddog.

Ffrwythau: Pennau o ffrwythau 1 hedyn, gyda pharasiwt o flew pluog.

Planhigion Tebyg: Mae gan y peradyl bach *(Leontodon taraxacoides)* goesynnau heb ganghennau a phennau blodau 12-20mm ar draws a blagur sy'n siglo.

Planhigyn lluosflwydd, unionsyth, cudynnog, canghennog fel rheol, sy'n tyfu ar laswelltir, yn arbennig ochrau'r ffyrdd, twyni tywod a lawntiau. Mae'n ffynnu ar amrywiaeth o briddoedd ond mae angen draeniad da arno. Dyma'r mwyaf cyffredin o sawl blodyn melyn tebyg i ddant y llew ac mae'n anodd gwahaniaethu rhyngddynt. Hwn yw'r un sydd fwyaf tebyg o fod wedi cael ei weld ar lawntiau neu mewn parciau, ble mae'n ffurfio mannau gwyrdd amlwg mewn tywydd sych. Mae'r coesynnau di-flew, heb ddail ar y coesynnau canghennog, yn nodedig. Enwau Cymraeg eraill yw clust y gath a melynydd gorwreiddiog.

I	Ch	M	E	M	M
G	A	M	H	T	Rh

Peradyl yr hydref

Leontodon autumnalis Autumn hawkbit

Planhigyn lluosflwydd, unionsyth, ychydig yn ganghennog, fymryn yn flewog, i'w gael ym mhobman a digonedd ohono mewn glaswelltir sych a gwlyb, ochrau'r ffyrdd a thir caregog agored fel glannau llynnoedd, yn arbennig ar dir asidig. Dyma'r mwyaf amlwg o flodau gwyllt melyn tebyg i ddant y llew sy'n ymddangos yn niwedd yr haf a dechrau'r hydref. Mae grŵp y peradyl a'u perthnasau yn un ble mae'n anodd iawn gwahaniaethu rhwng aelodau, ac mae angen edrych yn ofalus ar flew y dail a nodweddion bychain eraill gyda chymorth lens er mwyn gallu gwneud hynny.

FFEIL FFEITHIAU

Taldra: 10-60cm.

Blodau: Melyn, 12-35mm ar draws, unigol, blagur unionsyth, y blodigau allanol yn aml gyda llinellau coch oddi tanynt.

Dail: Y cyfan mewn rosét wrth y bôn, llabedau dwfn, sgleiniog.

Ffrwythau: Pennau o ffrwythau 1 hedyn, pob un gyda pharasiwt o flew pluog.

Planhigion Tebyg: Mae gan y peradyl bach *(Leontodon taraxacoides)*, sy'n tyfu ar dir calchog, ddail sydd â llabedau bas a phennau blodau 12-20mm ar draws, blagur yn siglo, y blodigau allanol yn llwyd/fioled odditanynt.

I	Ch	M	E	M	M
G	A	M	H	T	Rh

Tafod y llew gwrychog

Picris echioides Bristly oxtongue

FFEIL FFEITHIAU

Taldra: 30-100cm.

Blodau: Melyn gwan, 20-25mm ar draws, mewn clystyrau canghennog; 5 bract allanol mawr, triongl.

Dail: Hirgul, heb ddannedd neu ddanheddog, pigog, gyda blew bras chwyddedig; y dail uchaf siâp calon yn llai, yn gafael am y coesyn.

Ffrwythau: Pennau mawr, amlwg o ffrwythau 1 hedyn, pob un gyda pharasiwt o flew pluog.

Planhigion Tebyg: Mae gan dafod y llew *(Picris hieracioides)* ddail isaf siâp gwaywffon a bractau cul; prin yn Iwerddon.

Planhigyn unflwydd, eilflwydd neu luosflwydd byrhoedlog , blêr, yn esgynnol neu'n wannaidd unionsyth, gyda choesynnau canghennog sydd braidd yn stiff. Mewn rhai ardaloedd, fel gogledd Lloegr cyn belled â Swydd Efrog ac wrth yr arfordir yn ne a dwyrain Iwerddon, mae digonedd ohono mewn glaswelltir garw a thir sydd wedi cael ei droi, fel ochrau caeau ac ochrau ffyrdd. Mae'n well ganddo bridd cleiog sy'n galchog. Cynhyrchir dau fath gwahanol o ffrwythau: mae 3-5 ffrwyth ar ymylon pob pen yn fwy, gyda pharasiwt llai o flew, a chânt eu gwasgaru yn agos at y planhigyn gwreiddiol.

I	Ch	M	E	M	M
G	A	M	H	T	Rh

Barf yr afr

Tragopogon pratensis Goat's-beard

Planhigyn unflwydd, eilflwydd, neu luosflwydd byrhoedlog , unionsyth, yn codi o wreiddyn cul fel gwraidd pannas. Tyf ar laswelltir sych, ochrau'r ffyrdd a thir anial. Mae'r blodau'n cau ar ôl canol dydd gan roi'r enw llafar yn Saesneg *'Jack-go-to-bed-at-noon'.* Ambell dro tyfir barf yr afr gochlas *(Tragopogon porrifolius),* sydd â blodau porffor, fel llysieuyn ar gyfer y gwraidd. Mae'r ffrwythau mawr yn dangos yn glir nodweddion y ffrwyth hadau sy'n debyg i rai dant y llew a sut y caiff yr had ei wasgaru.

FFEIL FFEITHIAU

Taldra: 30-70cm.

Blodau: Melyn, mewn pennau unigol ar goesyn hir, 3-5cm ar draws; 8 bract, hyd at 3cm o hyd, pigfain.

Dail: Fel glaswellt, braidd yn llwyd/wyrdd a noddlawn, pigfain, yn gweinio'r coesyn.

Ffrwythau: Pennau amlwg o ffrwythau 1 hedyn, pob un gyda pharasiwt o flew stiff, pluog.

Planhigion Tebyg: Mae gan y planhigyn gyfuniad o ddail fel glaswellt a blodau fel dant y llew, ac mae'n rhwydd ei adnabod.

I	Ch	M	E	M	M
G	A	M	H	T	Rh

FFEIL FFEITHIAU

Taldra: 50-150cm.

Blodau: Aur felyn, mewn pennau 3-5cm ar draws, mewn clystyrau llac; blew melyn ar y bractau a'r coesyn blodeuog, pur anaml yn ddi-flew.

Dail: Hirgul neu siâp gwaywffon, dwfn labedog, pigog ddanheddog; y dail uchaf yn gafael am y coesyn.

Ffrwythau: Pennau o ffrwythau 1 hedyn, pob un gyda pharasiwt o flew.

Planhigion Tebyg: Mae'r llaethysgallen lefn (t. 230) a'r llaethysgallen arw *(Sonchus asper)* yn blanhigion unflwydd, gyda phennau blodau 20-25mm ar draws.

Llaethysgallen y tir âr

Sonchus arvensis Perennial sow-thistle

Planhigyn lluosflwydd, unionsyth, deiliog, gyda rhwydwaith o wreiddgyff ymledol a gwreiddiau meinach. Bydd weithiau'n ffurfio clystyrau eithaf sylweddol ar dir âr, ochrau caeau, glannau nentydd ac afonydd, twyni tywod a thraethau graean bras. Gall hyd yn oed ddarnau bach o'r gwraidd ffurfio planhigyn newydd, ac mae hwn yn chwyn niweidiol os na chaiff ei reoli. Dyma un o'r blodau amlycaf a harddaf yn y wlad ddiwedd yr haf a dechrau'r hydref.

Llaethysgallen lefn

Sonchus oleraceus Smooth sow-thistle

FFEIL FFEITHIAU

Taldra: 30-120cm.

Blodau: Melyn gwan, y blodigau rheiddiol yn borffor oddi tanynt, mewn nifer o bennau 20-25mm ar draws; bractiau bron yn ddi-flew.

Dail: Amrywiol eu siâp, llabedau dwfn, gyda llabed fawr ar y pen. Pigog ddanheddog; y dail uchaf yn gafael am y coesyn.

Ffrwythau: Pennau o ffrwythau 1 hedyn, pob un gyda pharasiwt o flew.

Planhigion Tebyg: Mae'r llaethysgallen arw *(Sonchus asper)* yn aml yn dalach a llai canghennog, gyda phennau blodau mwy clystyrog, dail pigog a bractau blewog gludiog.

Planhigyn unflwydd, unionsyth, canghennog, yn aml gyda gwawr gochlyd; i'w weld fel arfer ar dir âr ble gall fod yn niwsans fel chwyn. Fe wnaiff dyfu yn unrhyw le bron, hyd yn oed ar ben muriau neu mewn cilfachau mewn tarmac. Mae'r Ffrancwyr yn bwydo'r planhigyn hwn i falwod bwytadwy, tra yng ngwlad Groeg a gwledydd eraill caiff ei fwyta fel llysieuyn mewn salad yn y gaeaf, fel yr oedd unwaith (fel sawl perthynas i ddant y llew) yn Lloegr. Mae hanner cyntaf yr enw gwyddonol yn dod o '*Sonchos*', yr hen enw Groeg am y planhigyn hwn.

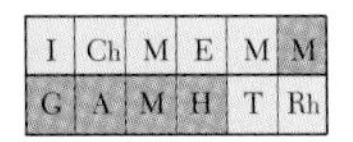

Cartheig

Lapsana communis Nipplewort

Planhigyn unflwydd neu eilflwydd, unionsyth, canghennog, deiliog, yn flewog ar y rhan isaf. Planhigyn cyffredin sydd i'w weld ar ochrau'r ffyrdd, gwrychoedd a chloddiau, ymylon y coed, gerddi cysgodol a thir âr. Mae'n tyfu orau ar bridd cleiog, trwm. Defnyddid y dail ifanc fel llysieuyn mewn salad ac mewn ambell i le ceir planhigion mwy, a mwy hirhoedlog sydd, o bosib, yn greiriau o amser pan gâi ei dyfu fel cnwd.

FFEIL FFEITHIAU

Taldra: 30-120cm.

Blodau: Melyn gwan, mewn nifer o bennau 15-20mm ar draws, mewn clystyrau canghennog, llac.

Dail: Hirgrwn, llabedau dwfn gyda un llabed ar y pen, danheddog; y rhai uchaf heb goesyn, siâp gwaywffon, heb ddannedd.

Ffrwythau: Pennau cul siâp ŵy o ffrwythau 1 hedyn tebyg i gneuen, di-flew, yn rhannol amgaeëdig gan y bractau.

Planhigion Tebyg: Mae'r ffrwythau, heb flew, yn unigryw yn y blodau melyn sy'n debyg i ddant y llew.

I	Ch	M	E	M	M
G	A	M	H	T	Rh

Clust y llygoden

Hieracium pilosella Mouse-ear hawkweed

Planhigyn lluosflwydd, gyda choesynnau blodeuog unionsyth ac ymledyddion deiliog sy'n ymledu ymhell, yn aml yn ffurfio darnau mawr mewn tir agored neu ar y borfa fer ar dir sych, rhostir, tir creigiog, cloddiau, muriau a lawntiau. Mae'n blanhigyn nodweddiadol o ffyrdd sych ac ochrau rheilffyrdd, cloddiau ar hen lawntiau, waliau cerrig sydd wedi'u llenwi â phridd, yn arbennig ar bridd tywodlyd neu'n agos at y môr. Dosberthir yr heboglys *(Hieracium)* gan fotanegwyr i nifer o isrywogaethau, ond mae'n rhwydd adnabod y planhigyn hwn gan y blodau melyn gwan a'r ymledyddion hir.

FFEIL FFEITHIAU

Taldra: 5-20cm, weithiau hyd at 35cm.

Blodau: Melyn gwan, y blodigau â llinell goch ar yr ochr isaf fel rheol, 18-25mm ar draws, unigol, ar goesynnau hir, heb ddail.

Dail: Y rhai wrth y bôn mewn rosét, hirgul neu siâp gwaywffon, pŵl, gyda blew gwyn, hir ar yr ochr uchaf, melfedaidd wyn ar yr ochr isaf.

Ffrwythau: Pennau o ffrwythau 1 hedyn, pob un gyda pharasiwt o flew.

Planhigion Tebyg: Mae blew du a phennau o flodau oren gan glust y llygoden euraid *(Pilosella aurantiacum)*; mae wedi dianc o'r ardd.

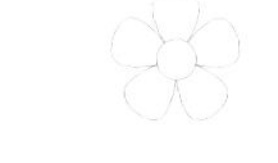

Llyriad y dŵr

Alisma plantago-aquatica
Common water-plantain

I	Ch	M	E	M	M
G	A	M	H	T	Rh

Planhigyn lluosflwydd, unionsyth, di-flew sy'n byw mewn llynnoedd, corsydd, camlesi a phyllau; gall oroesi hyd yn oed yn y pyllau a'r nentydd mwyaf mwdlyd a blêr. Mae i'w gael ym mhobman drwy wledydd Prydain ac Iwerddon, er ei fod yn brin yng ngogledd yr Alban. Mae blodau unigol yn agor ar ôl hanner dydd ac fel arfer yn gwywo o fewn 24 awr. Dyma'r mwyaf cyffredin o'r pum llyriad y dŵr cynhenid, sy'n debyg i flodyn ymenyn (t. 35) a chrafanc y frân y llyn (t. 40), gyda blodau tebyg (ond tair, nid pum petal), llawer o frigerau a ffrwythau un hedyn.

FFEIL FFEITHIAU

Taldra: 30-100cm.

Blodau: Gwyn neu lelog golau, hyd at 10cm ar draws, mewn clystyrau cromennog, llac ar goesyn hir; 3 petal a 3 sepal.

Dail: Y cyfan mewn rosét wrth y bôn, hirgrwn neu siâp gwaywffon, crwn neu siâp calon wrth y bôn.

Ffrwythau: Pen gwastad o ffrwythau 1 hedyn mewn cylch.

Planhigion Tebyg: Mae gan y saethlys *(Sagittaria sagittifolia)* ddail siâp saeth, blodau mwy a ffrwythau mewn clwstwr sfferaidd; mae i'w gael mewn pyllau, camlesi ac afonydd sy'n llifo'n araf.

I	Ch	M	E	M	M
G	A	M	H	T	Rh

Brwynen flodeuog

Butomus umbellatus Flowering rush

Planhigyn lluosflwydd, unionsyth, trawiadol, di-flew, dyfrol, gyda gwreiddgyff ymledol, sy'n tyfu mewn nentydd ac afonydd sy'n llifo'n araf, gwlâu cyrs a ffosydd; i'w gael ym mhobman er yn gyfyngedig yn Lloegr, yn brin yng Nghymru (heblaw am Ynys Môn), yr Alban a'r rhan helaethaf o Iwerddon. Dyma un o'r planhigion dyfrol harddaf, sy'n gallu ychwanegu ysblander at ochr y gamlas fwyaf aflêr – dyma sut y cafodd yr enw lleol *'Pride-of-the-Thames'*, i gofio'r afon fel roedd John Gerard, awdur *Herball* 1597, yn ei chofio yn yr 16eg ganrif.

FFEIL FFEITHIAU

Taldra: 50-150cm.

Blodau: Pinc gyda gwythiennau tywyllach, 25-30mm ar draws, llawer mewn clwstwr cromennog neu wmbel; 6 segment i'r perianth; 6 carpel, 9 briger, y ddau yn goch.

Dail: Y cyfan wrth y bôn, 3 ongl, cul, tebyg i frwynen.

Ffrwythau: Capsiwlau porffor yn ffurfio pen, mewn cylch unedig.

Planhigion Tebyg: Mae gan lyriad y dŵr (t. 233) a'r saethlys *(Saggittaria sagittifolia)* flodau llai, gwyn a dail lletach.

I	Ch	M	E	M	M
G	A	M	H	T	Rh

Llafn y bladur

Narthecium ossifragum Bog asphodel

Planhigyn lluosflwydd, unionsyth, di-flew, rhisomaidd sy'n tyfu ar gorsydd, rhostir a gweunydd gwlyb. Mae'n gyffredin iawn yn y gorllewin ac yng ngogledd Ynysoedd Prydain ond mae'n brin yn ne a dwyrain Lloegr. Mae'r blodau a'r coesyn blodeuog yn troi'n oren tywyll ar ôl blodeuo, gan ddod yn nodwedd o dir corsiog. Arferid ei ddefnyddio fel lliwur ac un o'i ddefnyddiau, fel henna, oedd rhoi lliw i wallt merch. Mae'r planhigyn yn wenwynig i ddefaid. Mae gwir gilgain, gyda blodau melyn neu wyn, i'w gweld yn ne Ewrop ac ardal Môr y Canoldir.

FFEIL FFEITHIAU

Taldra: 15-45cm.

Blodau: 6-10mm ar draws, melyn llachar, segmentau'r perianth yn wyrdd oddi tanodd, 6-20 mewn sbigyn stiff; brigerau oren.

Dail: Mewn 2 reng, siâp cleddyf, pigfain; y rhai uchaf fel cen.

Ffrwythau: Capsiwlau siâp ŵy, cul, taprog, pigfain yn hollti'n 3 segment.

Planhigion Tebyg: Mae'n annhebygol y gellir cymysgu'r planhigyn nodedig hwn sy'n tyfu ar y corsydd gydag unrhyw flodyn arall.

I	Ch	M	E	M	M
G	A	M	H	T	Rh

Britheg

Fritillaria meleagris Fritillary

FFEIL FFEITHIAU

Taldra: 20-40cm.

Blodau: Unigol, weithiau mewn parau, siâp cloch, yn siglo, 30-45mm o hyd, porffor pŵl yn frith gyda marciau porffor/brown, neu gwyn.

Dail: 3-6, y cyfan ar y coesyn, tebyg i strap, cul, pigfain, llwyd/wyrdd.

Ffrwythau: Capsiwlau braidd yn fyrdew, hirgul yn hollti'n 3 segment.

Planhigion Tebyg: Does dim blodyn gwyllt tebyg iddo drwy ogledd Ewrop, er y gellir gweld rhywogaethau eraill o'r fritheg mewn gerddi.

Planhigyn lluosflwydd, unionsyth, cain, di-flew sy'n tyfu o fwlb, mewn gweirgloddiau llaith yn ne a chanolbarth Lloegr, yn arbennig ar hen lifddolydd Dyffryn Tafwys. Mae niferoedd y fritheg wedi gostwng yn sylweddol yn ystod y ganrif ddiwethaf, o ganlyniad i ddraenio, aredig a gwrteithio gweirgloddiau. Mewn rhai safleoedd, fodd bynnag, ac mae nifer ohonynt yn warchodfeydd natur, gellir gweld y fritheg yn ei miloedd. Mae gan y blodyn dri lliw – porffor, gwyn gyda gwythiennau pinc, a gwyn gyda gwythiennau gwyrdd – sy'n dangos yr amrywiaeth genetig naturiol.

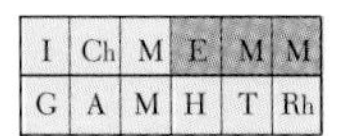

I	Ch	M	E	M	M
G	A	M	H	T	Rh

Clychau'r Gog

Hyacinthoides non-scripta Bluebell

FFEIL FFEITHIAU

Taldra: 20-40cm.

Blodau: Fioled/glas, yn anaml yn wyn, siâp cloch, yn plygu'u pen, 15-20mm o hyd, perarogl hyfryd, yn hongian mewn clystyrau 1 ochrog.

Dail: Llawer, y cyfan wrth y bôn, fel strap, wedi'u plygu mewn siâp V, pigfain, tua'r un hyd â'r coesynnau sy'n blodeuo.

Ffrwythau: Capsiwlau 3 ongl, bron yn sfferaidd; hadau du, sgleiniog.

Planhigion Tebyg: Mae clychau'r gog Sbaenaidd *(Hyacinthoides hispanicus),* sy'n fwy cadarn a chyda blodau glas goleuach, lelog neu wyn, wedi dianc o'r ardd.

Planhigyn lluosflwydd, unionsyth, di-flew, sy'n codi o fwlb ac weithiau'n tyfu mewn niferoedd mawr. Cyffredin mewn coedydd, prysgwydd, rhostir a chloddiau. Mewn rhai mannau, mae'n tyfu ar glogwyni'r arfordir. Yn yr Alban mae'n cael ei alw'n *'wild hyacinth'*; clych yr eos (t. 195) yw'r *'bluebell'* yn yr Alban. Mae'r planhigyn cyfarwydd yma, ac un sy'n gryn ffefryn, yn gyfyngedig i orllewin Ewrop. Y carpedi glas tlws a geir gan glychau'r gog mewn coedydd ar yr ynysoedd hyn yw'r rhai mwyaf mewn unrhyw ran o'r byd. At y rhain y cyfeiriodd R. Williams Parry fel *"y gwyllt atgofus, bersawr; yr hen lesmeiriol baent".*

I	Ch	M	E	M	M
G	A	M	H	T	Rh

FFEIL FFEITHIAU

Taldra: 20-50cm.

Blodau: Gwyn, siâp cloch, yn siglo, 8-12mm o hyd, 6-20, mewn clwstwr cromennog, llac neu wmbel.

Dail: Y cyfan wrth y bôn, eliptaidd, gwyrdd llachar, di-flew.

Ffrwythau: Capsiwlau 3 llabed ddofn.

Planhigion Tebyg: Mae'r nionyn gwyllt *(Alium vineale)* yn tyfu mewn glaswelltir a chaeau sych, gyda dail cul, fel tiwb a phennau trwchus, sfferaidd o flodau gwyrdd neu borffor yn gymysg gyda bylbiau bach.

Craf y geifr

Allium ursinum Ramsons

Planhigyn lluosflwydd, unionsyth, di-flew sy'n tyfu o fylb mewn coedydd llaith, cloddiau ac ochrau nentydd cysgodol. Mae arogl garlleg cryf ar y planhigyn pan fo wedi'i gleisio. Mae'n blanhigyn sy'n nodweddiadol o hen goedlannau. Mae'r dail yn fwytadwy a dywedir eu bod yn ychwanegu awch i frechdanau menyn pysgnau! Ar ddiwrnod o wanwyn mae'r arogl yn gallu gwneud tro i'r goedwig yn brofiad drewllyd iawn. Mae'r planhigyn nodedig yma'n perthyn i'r nionod a'r cennin gwyllt, sy'n blanhigion gyda dail cul sy'n tyfu ar dir agored, creigiog neu dywodlyd. Caiff ei dyfu ambell dro yng ngardd y bwthyn.

I	Ch	M	E	M	M
G	A	M	H	T	Rh

Cennin Pedr gwyllt

Narcissus pseudonarcissus Wild daffodil

Planhigyn lluosflwydd, unionsyth, di-flew yn codi o fylb noddlawn, yn ffurfio clystyrau, lleiniau helaeth a chytrefi. Tyf ar laswelltir, coedydd agored, coedlannau, gweirgloddiau a mynwentydd, ar lysieubridd sydd fymryn yn llaith ond gyda draeniad da. Mae i'w gael yma ac acw drwy Loegr, yn brin mewn rhai ardaloedd ond ar ei fwyaf cyffredin yn y gorllewin, a rhannau o Gymru; wedi'i gyflwyno i'r Alban ac Iwerddon. Mae'r blodau yn ychwanegu lliw godidog i'r tirwedd yn y gwanwyn cynnar. Mae'r planhigyn cyfan yn wenwynig ac mae anifeiliaid yn ei osgoi.

FFEIL FFEITHIAU

Taldra: 15-40cm.

Blodau: Melyn, yn siglo, fymryn yn beraroglus, 35-60mm ar draws, yr trymped yn y canol yn felyn tywyllach; y bylbiau'n amgaeëdig mewn gwain denau fel papur.

Dail: Yn y bôn, cul, siâp strap, llwyd/wyrdd.

Ffrwythau: Capsiwlau siâp ŵy 10-25mm o hyd.

Planhigion Tebyg: Plennir cennin Pedr sydd wedi dianc o'r ardd yn aml mewn coedydd ac ar gloddiau, ac mae'r rhain yn aml yn gadarnach gyda blodau mwy ac yn felyn unffurf.

I	Ch	M	E	M	M
G	A	M	H	T	Rh

Eirlys

Galanthus nivalis Snowdrop

Planhigyn lluosflwydd, unionsyth, di-flew yn codi o fylbiau bach i ffurfio clystyrau a lleiniau; yn aml ceir digonedd ohono yn llonni coedydd, gwrychoedd, ochrau nentydd a mynwentydd yn niwedd y gaeaf. Mae'n bosib ei fod yn gynhenid mewn ychydig fannau yn ne orllewin Lloegr, fel bryniau 'Mendip', ond mae tystiolaeth yn awgrymu iddo gael ei gyflwyno ers canrifoedd a chaiff ei gysylltu â safleoedd paganaidd a Christnogol. Mae'n flodyn symbolaidd ar ŵyl Fair y Canhwyllau (2il Chwefror), sy'n coffáu puredigaeth y Forwyn Fair.

FFEIL FFEITHIAU

Taldra: 10-25cm.

Blodau: Unigol, yn siglo pen, gwyn, peraroglus, 3 segment mewnol y perianth wedi'u rhicio, gyda marc gwyrdd ger yr ymyl.

Dail: Yn cyfan wrth y bôn, cul, siâp strap, llwyd/wyrdd, pŵl.

Ffrwythau: Capsiwlau siâp ŵy 8-15mm o hyd, yn nodio ar goesynnau hir.

Planhigion Tebyg: Mae eiriaidd yr haf *(Leucojum aestivum)* hyd at 60cm o daldra, gyda dail gwyrdd lletach a 3-5 blodyn mewn clwstwr; gellir ei weld mewn coedydd yn Nyffryn Tafwys a mannau eraill.

I	Ch	M	E	M	M
G	A	M	H	T	Rh

Gellesg

Iris pseudacorus Yellow flag

Planhigyn lluosflwydd, unionsyth gyda gwreiddgyff nobl a choesynnau blodeuog, cadarn, sy'n gyffredin mewn corsydd, ffosydd ac ar lannau afonydd, camlesi, llynnoedd, pyllau a phyllau graean. Mae'n tyfu ym mhobman ac mae digonedd ohono yn aml drwy Brydain ac Iwerddon. Ceir lliwur du o'r gwreiddgyff. Un o'r blodau gwyllt mwyaf nodedig ac urddasol sydd wedi llwyddo i oroesi er gwaethaf y dinistrio sydd wedi digwydd ar gymaint o gynefinoedd y gwlypdir. Mae'r cacwn yn ymweld â'r blodau'n aml a gwasgerir yr had drwy iddynt arnofio ar wyneb y dŵr.

FFEIL FFEITHIAU

Taldra: 50-150cm.

Blodau: 8-10cm ar draws, melyn, 4-12 mewn clwstwr, fel arfer 1-3 ar agor ar unwaith, pob un gyda bract fel gwain.

Dail: Bytholwyrdd, cul, siâp gwaywffon, ochr finiog, pigfain.

Ffrwythau: Capsiwlau silindraidd 4-8cm o hyd, yn hollti'n 3 segment; hadau brown.

Planhigion Tebyg: Mae blodau fioled neu weithiau melyn golau gan y gellesg ddrewllyd *(Iris foetidissima)*, dail culach a hadau ysgarlad; mae'n blanhigyn sydd i'w weld mewn coedydd, gwrychoedd a thwyni tywod, yn bennaf yn ne Lloegr.

I	Ch	M	E	M	M
G	A	M	H	T	Rh

FFEIL FFEITHIAU

Taldra: 1-4m.

Blodau: Gwyrdd/felyn, 3-6mm ar draws, blodau gwrywaidd a benywaidd mewn clystyrau ar wahân; 6 segment i'r perianth.

Dail: Hyd at 15cm o hyd, ar goesyn, siâp calon, pigfain, sgleiniog.

Ffrwythau: Clystyrau llac o aeron sfferaidd ysgarlad sy'n nodedig iawn.

Planhigion Tebyg: Mae gan floneg y ddaear (t. 106) ddail tebyg i ddail eiddew neu iorwg a thendrilau, ond nid yw'n perthyn.

Cwlwm y Coed

Tamus communis Black bryony

Dringwr lluosflwydd, di-flew, sy'n troelli i'r un cyfeiriad â'r cloc, gyda chloronen ganghennog, du sy'n tyfu mewn coedydd, prysg, gwrychoedd a pherthi. Mae ar ei fwyaf cyffredin yn ne Lloegr, ac i'w weld yn llai aml wrth fynd tua'r gogledd gan gyrraedd pen draw ei ddosbarthiad Ewropeaidd yng ngogledd Lloegr. Yn Iwerddon mae i'w weld o gwmpas Lough Gill yn Swydd Sligo. Arferid bwyta'r blagur ifanc fel asbaragws a gellir eu gweld ar werth o hyd mewn rhannau o dde Ewrop. Mae'r aeron tlws yn wenwynig. Dyma un o ddim ond pedwar cynrychiolydd Ewropeaidd o deulu pwysig o'r trofannau.

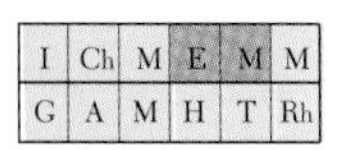

Pidyn y gog

Arum maculatum Cuckoo-pint

Planhigyn lluosflwydd, unionsyth, di-flew, gyda gwreiddgyff fel cloronen, sy'n ffurfio clystyrau mewn coedydd, gwrychoedd a mannau cysgodol, ambell dro mewn gerddi - cyn belled i'r gogledd â Fife. Mae'r blodau cywrain, sy'n amgaeëdig mewn fflurwain tebyg i gwfl, wedi denu sawl enw lleol, sy'n aml yn ddigywilydd tuag at y clerigwyr, megis cala'r mynach a phregethwr yn y pulpud. Enwau eraill yw cala'r mwnci, cala'r cethlydd, dail Robin, lili'r Pasg a pig y gog. Defnyddid startsh o'r gloronen fel arorwt ac i startsio dillad, ac arferid ei ddefnyddio i startsio coleri coeth Oes Elisabeth I. Ychydig iawn o flodau gwyllt sydd mor nodedig.

FFEIL FFEITHIAU

Taldra: 20-30cm.

Blodau: Clwstwr siâp pastwn oddi fewn i fflurwain unigol, amlwg, gwyrdd golau, weithiau gyda gwawr borffor hyd at 25cm o hyd.

Dail: Yn y bôn, ar goesyn hir, siâp saeth, sgleiniog, weithiau gyda marciau porffor.

Ffrwythau: Pennau silindraidd, 4-8cm o hyd, o aeron ysgarlad.

Planhigion Tebyg: Mae yna sawl rhywogaeth llai cyffredin yn perthyn i bidyn y gog, y rhan fwyaf wedi dianc o'r ardd.

I	Ch	M	E	M	M
G	A	M	H	T	Rh

Llinad y dŵr

Lemna minor Duckweed

Planhigyn dyfrol, bychan bach, yn arnofio ar wyneb y dŵr, pob ffrond gydag un gwreiddyn, yn ffurfio mat gwyrdd ar wyneb y dŵr. Mae'n gyffredin mewn dyfroedd llonydd mewn llynnoedd, pyllau a nentydd, pyllau'r ardd, pyllau bach ac yn olion olwynion. Mae adar gwyllt yn ei fwyta, a phur anaml y bydd yn blodeuo. Mae gan y llinad bach (*Lemna minuta*) ffrondiau 1 wythïen, bychan bach, a chafodd ei gofnodi yn ynysoedd Prydain am y tro cyntaf mor ddiweddar â 1977, ond mae'n lledaenu'n gyflym mewn afonydd a chamlesi, ac mae'n ffurfio bandiau gwyrdd wrth y glannau ac mewn trolifau.

FFEIL FFEITHIAU

Taldra: Ffrondiau 1.5-5mm ar draws.

Blodau: Mân iawn, yn amgaeëdig mewn gwain, 1 briger, 2 ofwl.

Dail: Blagur gwyrdd wedi eu lleihau i ffrond, 3 gwythïen.

Ffrwythau: Bychan iawn, pur anaml y cânt eu ffurfio.

Planhigion Tebyg: Llinad y dŵr yw'r mwyaf cyffredin o ddigon o'r 6 rhywogaeth o deulu llinad y dŵr a geir ym Mhrydain ac Iwerddon.

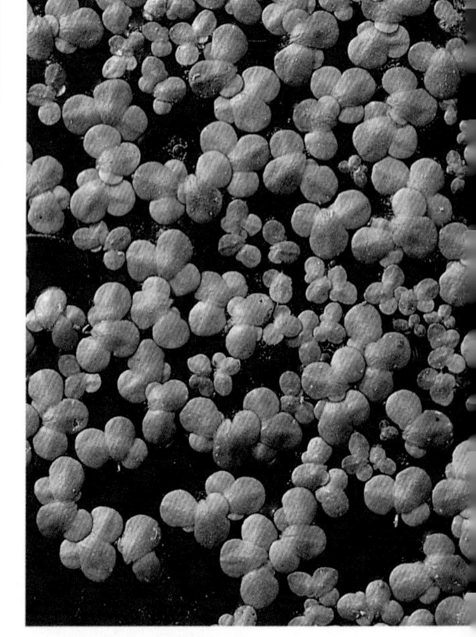

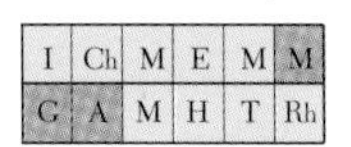

Cleddlys canghennog

Sparganium erectum Branched bur-reed

Planhigyn lluosflwydd, unionsyth, di-flew, cadarn, gyda gwreiddgyff sy'n tyfu mewn corsydd, dŵr bas a mwd agored mewn ffosydd, pyllau a chamlesi nas defnyddir. Mae i'w weld drwy Ynysoedd Prydain ac Iwerddon, er yn gyfyngedig mewn sawl ardal. Mae yna dri cleddlys cynhenid arall, sydd fel arfer â dail sy'n nofio ar wyneb y dŵr mewn dŵr dwfn, ac mae'r pen blodeuog nodweddiadol gan y cyfan. Dim ond dau sydd i'w gweld ym mhobman, ac mae'r ddwy rywogaeth brinnach i'w gweld gan amlaf mewn pyllau a llynnoedd mawnog yng ngorllewin yr Alban a gorllewin Iwerddon.

FFEIL FFEITHIAU

Taldra: 30-150cm.

Blodau: Bach, wedi'u grwpio mewn pennau sfferaidd gwrywaidd a benywaidd ar 3-8 cangen; clystyrau gwrywaidd ar y brig, yn llai, melyn.

Dail: Cul, siâp strap, stiff; weithiau'n arnofio.

Ffrwythau: Clystyrau sfferaidd fel masgl.

Planhigion Tebyg: Mae'r cleddlys di-gainc *(Sparganium emersum)* yn llai cyffredin, gyda choesynnau sydd fwy neu lai heb ganghennau; mae ganddo ddail unionsyth neu rai sy'n arnofio.

I	Ch	M	E	M	M
G	A	M	H	T	Rh

Corsen neu Cynffon y gath

Typha latifolia Bulrush

FFEIL FFEITHIAU

Taldra: 1-3m.

Blodau: Bychan, bach, y rhai benywaidd yn silindraidd a sbigynnau fel selsig hir 8-15cm o hyd; y rhai gwrywaidd yn syth uwchben.

Dail: Siâp strap, 8-20mm o led.

Ffrwythau: Bychan bach, wedi'u clystyru mewn sbigynnau silindraidd, brown tywyll; yr hadau wedi'u pacio rhwng blew brown, meddal.

Planhigion Tebyg: Mae gan gynffon y gath gulddail *(Typha angustifolia)* ddail tua 4mm o led a chlystyrau o flodau gwrywaidd a benywaidd ychydig ar wahân.

Planhigyn lluosflwydd, unionsyth, dyfrol gyda gwreiddgyff ymledol sy'n ffurfio clystyrau trwchus mewn corsydd, llynnoedd, pyllau, a nentydd ac afonydd sy'n llifo'n araf. Yn aml iawn bydd yn llenwi pyllau a ffosydd. Ceir y blodau gwrywaidd uwchben y blodau benywaidd. Mae sbigynnau'r ffrwyth yn ffrwydro pan fo'n sych ac aeddfed gan ryddhau niferoedd enfawr o hadau a'r blew (sydd mewn gwirionedd yn segmentau llai o'r perianth) sy'n eu pacio yn y 'brysgyll'. Mae sawl cyfeiriad yn y Beibl at y gorsen ysig. Enwau eraill yw ffon y plant, ffynwewyr ellyllon, rholbren calfelfed a tapr y dŵr.

I	Ch	M	E	M	M
G	A	M	H	T	Rh

Tegeirian coch y gwanwyn

Orchis mascula Early purple orchid

FFEIL FFEITHIAU

Taldra: 10-40cm.

Blodau: Porffor, weithiau pinc neu wyn, gyda gwefus 3 llabed, 6-8mm o hyd, arogl cathod arnynt, mewn sbigynnau conigol trwchus.

Dail: Hirgul, marciau porffor, y rhai uchaf yn gul.

Ffrwythau: Capsiwlau silindraidd, dirdro yn cynnwys hadau tebyg i lwch.

Planhigion Tebyg: Mae gan y tegeirian brych (t. 248) a thegeirian brych y rhos *(Dactylorhiza maculata)* flodau goleuach mewn sbigyn mwy trwchus a blodeuant ychydig wythnosau'n ddiweddarach.

Planhigyn lluosflwydd, unionsyth, yn tyfu o ddwy gloronen siâp ŵy; mae'n tyfu mewn coedydd, cloddiau, porfa ac ar glogwyni isel ger y môr. Mae ychydig yn gyfyngedig, ond yn y gogledd a'r gorllewin, er enghraifft Cernyw a'r Burren yn Swydd Clare, mae'n fwy cyffredin na'r tegeirian brych (t. 248) ac mae'n cymryd ei le ar bridd cleiog. Tyf yn aml gyda chlychau'r gog (t. 237). Hwn yw'r cyntaf o'n tegeirianau cynhenid i flodeuo a chyfeirir ato fel y *'long purples'* o arlant Ophelia wedi iddi foddi yn *'Hamlet'* gan Shakespeare.

Tegeirian brych

Dactylorhiza fuchsii Common spotted-orchid

Planhigyn lluosflwydd byrhoedlog, unionsyth, sy'n tyfu o gloronen wedi'i rhannu yn labedau tew, tebyg i fys. Weithiau fe welir llawer mewn coedydd agored, prysgwydd, glaswelltir sych neu laith, ochrau ffyrdd, argloddiau rheilffordd, corsydd, twyni tywod a hyd yn oed lawntiau blêr. Dyma'r tegeirian cynhenid mwyaf cyffredin, a gellir gweld nifer ohono o hyd, hyd yn oed ar dir anial mewn tref yn y rhan fwyaf o Brydain ac Iwerddon. Mae'n rhywogaeth amrywiol sy'n croesi gyda pherthnasau eraill: mae amrywiad nodedig gyda blodau gwyn i'w weld yn y Burren, Swydd Clare.

I	Ch	M	E	M	M
G	A	M	H	T	Rh

FFEIL FFEITHIAU

Taldra: 15-60cm.

Blodau: Pinc, lelog neu binc/porffor, anaml yn wyn, gyda gwefus 3 llabed ddofn, 6-10mm o hyd, mewn sbigynnau conigol trwchus.

Dail: Siâp gwaywffon neu hirgul, marciau tywyll, y rhai uchaf yn gul.

Ffrwythau: Capsiwlau silindraidd, dirdro yn cynnwys hadau tebyg i lwch.

Planhigion Tebyg: Mae gan degeirian brych y rhos *(Dactylorhiza maculata)* flodau gyda gwefus â llabed fas ac mae'n tyfu ar dir asid. Blodau porffor mewn sbigyn llac sy'n blodeuo rai wythnosau ynghynt sydd gan degeirian coch y gwanwyn (t. 247).

I	Ch	M	E	M	M
G	A	M	H	T	Rh

Tegeirian bera

Anacamptis pyramidalis Pyramidal orchid

Planhigyn lluosflwydd, unionsyth, y coesyn deiliog yn tyfu o ddwy gloronen sydd bron yn sfferaidd. Mae'n gyfyngedig ond weithiau'n eithaf cyffredin mewn prysgwydd, glaswelltir, cloddiau sych a thwyni tywod – tyf i'r gogledd cyn belled â Fife ac Ynysoedd Heledd. Yng nglaswelltir twyni tywod neu *machair* gorllewin Iwerddon ac, yn fwy cyfyngedig, yng ngorllewin yr Alban, mae'n blanhigyn nodweddiadol o weirgloddiau. Mae gan blanhigion yn Iwerddon flodau â lliwiau cyfoethocach. Peillir y blodau gan löynnod byw a gwyfynod sydd â thafod hir ac sy'n chwilio am y neithdar yn y sbardun hir.

FFEIL FFEITHIAU

Taldra: 15-40cm.

Blodau: Rhuddgoch neu borffor/goch, anaml yn wyn, ychydig o berarogl, gyda gwefus 3 llabed ddofn siâp lletem, 6-8mm o hyd, mewn sbigynnau siâp pyramid trwchus; sbardun main, hyd at 14mm o hyd.

Dail: Hirgul neu siâp gwaywffon, pigfain, y rhai uchaf yn gul.

Ffrwythau: Capsiwlau silindraidd, dirdro yn cynnwys hadau tebyg i lwch.

Planhigion Tebyg: Mae gan y tegeirian brych (t. 248) farciau ar y dail, a blodau goleuach mewn sbigyn mwy silindraidd.

I	Ch	M	E	M	M
G	A	M	H	T	Rh

Tegeirian y wenynen

Ophrys apifera Bee orchid

Planhigyn lluosflwydd byrhoedlog, unionsyth, sy'n tyfu o ddwy gloronen siâp ŵy. Tyf ar laswelltir a phrysgwydd ar dir calch, twyni tywod a chlogwyni isel ger y môr. Nid yw'n ymddangos yn gyson a gellir ei weld ambell dro ar ochrau ffyrdd newydd ac argloddiau. Mae'r blodyn yn edrych yn debyg i bryfetyn benywaidd, tew ac er ei fod yn hunanbeillio yn Ynysoedd Prydain, bydd y gwrywod o rywogaeth y gwenyn yn ymweld â'r blodyn yn ne Ewrop. Dyma un o'n blodau gwyllt enwocaf ac mae'n wych ei weld – yn enwedig am y tro cyntaf!

FFEIL FFEITHIAU

Taldra: 10-40cm.

Blodau: Gwefus amgron, siâp ŵy, 10-15mm o hyd, porffor/brown gydag ymyl melyn, 2-12 mewn sbigyn llac; sepalau porffor/pinc.

Dail: Siâp gwaywffon, gwyrdd golau, y rhai uchaf yn gul.

Ffrwythau: Capsiwlau silindraidd, dirdro yn cynnwys hadau tebyg i lwch.

Planhigion Tebyg: Mae gan degeirian y clêr *(Ophrys insectifera)* flodau 6-8 mm o hyd, gyda gwefus ddu/fioled a sepalau gwyrdd, hyd at 14 ar bob sbigyn; tyf mewn coedydd, prysgwydd a chorsydd.

MYNEGAI

Alan mawr 214
Alaw 31
Amlaethai cyffredin 97
Amranwen ddi-sawr 206
Amrhydlwyd Canada 201

Banadl 75
Barf yr afr 228
Barf yr hen ŵr 41
Berwr chwerw blewog 54
Berwr y dŵr 55
Betys arfor 21
Blodyn llefrith 53
Blodyn mwnci 168
Blodyn neidr / blodyn taranau 27
Blodyn y fagwyr 50
Blodyn y gwynt 34
Blodyn ymenyn 35
Blodyn ymenyn bondew 36
Bloneg y ddaear 106
Botwm crys 24
Brenhines y weirglodd 63
Bresych y cŵn 94
Briallu 126
Briallu Mair 125
Brial y gors 62
Briweg boeth 60
Briwlys y gors 158
Briwlys y gwrych 159
Briwydd bêr 138
Briwydd felen 139
Briwydd y clawdd 140
Brwynen flodeuog 234
Bwrned 67
Byddon chwerw 197
Bysedd y cŵn 173

Cacamwci 218
Canwraidd y dŵr 14
Carn yr ebol 213
Cartheig 231
Carpiog y gors 26
Caru'n ofer 104
Cedowydd 202
Cegid 118
Cennin Pedr gwyllt 239
Celyn y môr 114
Clafrllys y maes 192
Cleddlys canghennog 245
Clefryn 196
Cloc y dref 186
Clustog Fair 131
Clust y llygoden 232
Clychau'r gog 237
Clychlys crwydrol 194
Clychlys mawr 193
Clych yr eos 195
Clymog Japan 16
Cnau daear 116
Codwarth caled 167
Codwarth du 166
Codywasg y maes 48
Cor-rosyn cyffredin 105
Corsen 246
Crafanc y frân y llyn 40
Crafanc yr eryr 39
Craf y geifr 238
Creulys 215
Creulys Rhydychen 217

Cribau San Ffraid 157
Cribau'r pannwr gwyllt 190
Cribell felen 179
Crwynllys yr hydref 135
Cwlwm y coed 242
Cwlwm y cythraul 142
Cwmffri 145
Cycyllog 151
Cyfardwf 145
Cyngaf bach 218

Chwerwlys yr eithin 150
Chwyn pinafal 207

Dail arian 70
Dail cwlwm yr asgwrn 94
Dail sgyrfi 52
Dail tafol 19
Danadl poethion 12
Dant y llew 224
Deilen gron 59

Edafeddog y gors 203
Eiddew 113
Eidral 160
Eirlys 240
Eithin 74
Efwr 120
Effros 180
Elinog 167
Erwain 63
Eurinllys trydwll 101
Eurwialen 198

Fioled bêr 102
Fioled gyffredin 103

Ffacbys 78
Ffacbys y berth 76
Ffacbys y cloddiau 77
Ffa'r gors 136

Galinsoga 205
Garlleg y berth 49
Gellesg 241
Gold y gors 33
Glesyn y coed 149
Gliniogai 178
Gludlys arfor 30
Gludlys codrwth 29
Gludlys gwyn 28
Gorthyfail 115
Graban teiran 204
Grug 122
Grug y mêl 123
Gruw 163
Gwiberlys 144
Gwlithlys 58
Gwlydd y dom 25
Gwlyddyn melyn Mair 127
Gwrnerth 170
Gwyddfid 185
Gwylaeth yr oen 187

Helyglys hardd 110
Helyglys llydanddail 112
Helyglys pêr 111
Hocysen 99
Hocysen fwsg 100
Hopys 11

Iorwg 113

Jac y neidiwr 98

Lafant y môr 132
Lili'r dwr felen 32

Llaeth y gaseg 53
Llaethlys y coed 95
Llaethlys yr ysgyfarnog 96
Llaethysgallen lefn 230
Llaethysgallen y tir âr 229
Llafnlys bach 38
Llafn y bladur 235
Llau'r offeiriad 141
Llinad y dŵr 244
Llin y llyffant 171
Llus 124
Llwylys cyffredin 52
Llwyn coeg fefus 72
Llydan y ffordd 184
Llygad doli 175
Llygad Ebrill 37
Llygad llo mawr 211
Llygad y dydd 199
Llygwyn culddail 23
Llyriad y dŵr 233
Llysiau Cadwgan 188
Llysiau'r cryman 130
Llysiau'r dryw 66
Llysiau'r gingroen 216
Llysiau'r milwr coch 107
Llysiau Steffan 108
Llysiau Taliesin 174
Llysiau'r sipsiwn 164
Llysiau'r wennol 44

Maglys du 82
Mandon las yr ŷd 137
Mapgoll 68
Mapgoll glan y dŵr 69
Marchysgallen 219
Marddanhadlen ddu 156
Marddanhadlen felen 155
Marddanhadlen goch 154
Marddanhadlen wen 153
Mefus gwyllt 73
Meillionen goch 84
Meillionen wen 85
Meillion hopysaidd bach 83
Melengu 56
Melengu wyllt ddi-sawr 57
Melog y cŵn 181
Melyn y gors 33
Melyn yr hwyr 109
Melyn yr ŷd 209
Melynydd 225
Milddail 208
Mintys y dŵr 165
Moron y maes 121
Mwg y ddaear cyffredin 45
Mwsglys 186
Mwstard gwyllt 51
Mwyar duon 65

Pabi coch 42
Pabi corniog melyn 43
Pannas gwyllt 119
Pannog felen 169
Penrhudd 162
Peradyl yr hydref 226
Pidyn y gog 243
Pig y crëyr 93
Pig yr aran 91
Pig yr aran y weirglodd 90
Plucen felen 87
Pwrs y bugail 47
Pys llygod 76
Pys y ceirw 86

Roced y berth 46

Rhosyn gwyllt 64
Rhwyddlwyn main 177
Rhwyddlwyn y maes 176

Serenllys mawr 24
Seren y morfa 200
Sgorpionllys y gors 148
Sgorpionllys y maes 147
Siani lusg 128
Suran y coed 89
Suran y cŵn 17
Suran yr ŷd 18

Tafod y bytheiad 146
Tafod y gors 183
Tafod y llew gwrychog 227
Tafol crych 20
Tagaradr 81
Taglys y perthi 143
Tamaid y cythraul 191
Tansi 210
Tegeirian bera 249
Tegeirian brych 248
Tegeirian coch y gwanwyn 247
Tegeirian y wenynen 250
Teim gwyllt 163
Tormaen y gweunydd 61
Tresgl y moch 71
Trewyn 129
Triaglog 188
Triaglog coch 189
Trilliw'r tir âr 104
Troed yr iâr 86
Troed yr ŵydd gwyn 22
Trwyn y llo dail eiddew 172

Y benboeth 152
Y bengaled 222
Y bengaled fawr 221
Y feddyges las 161
Y feidiog lwyd 212
Y ganrhi goch 135
Y ganwraidd goesgoch 13
Y ganrhi goch 133
Y glymog ddu 15
Y goesgoch 92
Yr wydro dal 80
Ysgall y gors 220
Ysgellog 223
Ytbys y ddôl 79